D0903809

Ich war Jud Süß

Friedrich Knilli

Ich war Jud Süß

Die Geschichte des Filmstars Ferdinand Marian

Mit einem Vorwort von Alphons Silbermann

Henschel

Sie können uns 24 Stunden am Tag erreichen unter:

http://www.henschel-verlag.de

Bildnachweis:
S. 5 Harry Schnitger/TIP
Alle übrigen Abbildungen dieses Buches entstammen dem Privatarchiv des
Verfassers. Leider war es nicht möglich, in jedem Fall die Rechteinhaber zu
ermitteln. Berechtigte Ansprüche sind an den Verlag zu richten.

Die Deutsche Bibliothek – CIP-Einheitsaufnahme
Ein Titeldatensatz für diese Publikation ist bei Der Deutschen Bibliothek erhältlich.

ISBN 3-89487-340-X

Lektorat: Stefan Pegatzky
Umschlaggestaltung: Morian & Beyer-Eynck, Coesfeld
Titelbilder: Privatarchiv Prof. Dr. Knilli
Satz und Gestaltung: AS Satz & Grafik, Berlin
Druck und Bindung: Wiener Verlag, Himberg
Printed in Austria

Gedruckt auf alterungsbeständigem Papier mit chlorfrei gebleichtem Zellstoff

Mein Freund

Inhaltsverzeichnis

Für meine geliebte B.,
von der die Idee
zu diesem Buch stammt.

Vorwort

Was heutzutage den schön klingenden Namen »Öffentlichkeitsarbeit« trägt, wurde zu Zeiten des Naziregimes ohne Umschweife bündig »Propaganda« genannt. Dieses Beeinflussungs- und Überzeugungsmittel wussten die Nationalsozialisten in geradezu vorbildlicher Weise für ihre Zwecke einzusetzen, wozu ihnen jedes der damals bestehenden Medien recht war, darunter auch der Kino- beziehungsweise Spielfilm. »Das Wesen jeder Propaganda«, so verkündete der Oberpropagandist Joseph Goebbels, »besteht darin, Menschen für eine Idee zu gewinnen, so innerlich, so lebendig, dass sie am Ende ihr verfallen und nicht mehr davon loskommen.«

Diesem Grundsatz folgend, galt es unterschiedliche, das nazistische Ideologiengeflecht beleuchtende Facetten – Ehre, Vaterland, Treue, Heroismus, Sieg, Kampf, Beständigkeit etc. – filmgerecht zu dokumentieren. Aufgeputscht musste auch jener Ideologiestrang werden, an dem die Nazis eine ihrer Gewalttaten aufhängten: die Vernichtung des jüdischen Volkes. Also mussten ›Judenfilme‹ her, solche, die den antisemitischen Schuldspruch »Die Juden sind unser Unglück« mit allen zur Verfügung stehenden Stereotypen versehen, gleichermaßen verdeutlichen, einprägen und rechtfertigen. Auf Anordnung entstanden so die Filme *Die Rothschilds*, *Der ewige Jude* und *Jud Süß*.

Die Geschichte des Jud Süß genannten Joseph Süß Oppenheimer aus dem achtzehnten Jahrhundert wurde immer und immer wieder in Pamphleten, Broschüren, Büchern und Schmähschriften als gängiges antisemitisches Material wahrheitsgetreu oder nicht aufgegriffen und war für die Judenfeindschaft und Judenhass betreibende Propaganda und Ideologie im Dritten Reich ein gefundenes Fressen. Der Literatur- und Medienwissenschaftler Friedrich Knilli hat sich seit vielen Jahren mit der fast zur Legende gewordenen literarischen Figur des Joseph Süß Oppenheimer befasst. In diesem Zusammenhang kam er auch auf die verschiedenen Verfilmungen der Jud-Süß-Geschichte, darunter die von den Nazis angeordnete, die den Hintergrund des vorliegenden Buches bildet. Offensichtlich war es ihm nicht darum zu tun, einem unentgeltlichen historisierenden Geplänkel die Hand zu reichen oder gar zeitgeschichtliche Rechtfertigungsversuche zu unternehmen, bei denen Ressentiments jeglicher Art die Feder führen. Es galt ihm, eine der Sparten des nationalsozialistischen Gehabes, nämlich die diktatorische Rollenbesetzung der antisemitischen Propagandafilme in all ihren Konsequenzen für die staatspolitische Beeinflussungsmethode zu erkunden und ins rechte Licht zu setzen.

So traf Knilli nach intensivem Quellenstudium und jahrelanger Beschäftigung mit der ihn geradezu verfolgenden Figur des Jud Süß auf einen der Darsteller dieses Horrorfilms: den Wiener Schauspieler Ferdinand Marian. Ausgehend von der alten Theaterweisheit, dass nur derjenige ein beachtenswerter, großer Schauspieler ist, der seine Rolle so verinnerlicht, dass er sich quasi mit ihr identifiziert, fand Knilli bei Marian in dessen Darstellung des Joseph Süß Oppenheimer einen Identifikationsprozess, der allen mehr oder weniger karikierenden, jüdelnden, Abscheu hervorrufenden Intentionen – vor und nach dem Nazifilm – widersprach.

Fast jeder Satz, den der Wiener Ferdinand Marian in der Rolle des Joseph Süß Oppenheimer spricht, könnte sinngemäß aus dem Mund eines jungen Juden kommen, der im 18. Jahrhundert Karriere machen wollte und deshalb um rechtliche Gleichstellung in Deutschland zu kämpfen hatte, und dem die Christen so viel Verachtung und Hass entgegenbrachten, dass er sich seiner Herkunft schämen musste.

Warum der Schauspieler Ferdinand Marian diese Erniedrigungen und Demütigungen mit so viel Einfühlsamkeit und Verve zu spielen in der Lage war, kann nur verstehen, wer die Lebensgeschichte dieses Künstlers kennt. Knilli kennt sie und erzählt diese Geschichte so spannend, wie ein Schicksalsdrama nur sein kann. Es ist eine Geschichte der Charaktere, die Marian vor und nach Süß auf der Bühne und vor der Kamera spielte. Knilli beweist, dass Joseph Süß Oppenheimer die Rolle war, die im Leben Ferdinand Marians der Höhepunkt und zugleich der Anfang seines tragischen Endes war. Nicht umsonst wehrte sich Marian ein Jahr lang gegen die Annahme dieses hochoffiziellen Auftrages: Er war der erste und einzige Schauspieler in Deutschland, der die Zivilcourage besaß, Joseph Goebbels gegenüber zu treten und dessen Rollenangebot abzulehnen. Dass er sie trotzdem und noch dazu so überzeugend spielte, hat sich Ferdinand Marian nie verziehen. Aus ihm wurde ein haltloser Alkoholiker, der jämmerlich auf der Landstraße umkam.

Der akribisch arbeitende Wissenschaftler Friedrich Knilli schreckt nicht davor zurück, mittels der Verflechtung einer zur Historie gewordenen Person und deren filmischer Darstellung durch einen längst verstorbenen Unbekannten, die Realität so zu sehen, wie sie ist. Diese Haltung liefert einen Beitrag zum Wohlergehen der Gesellschaft, dem Knilli mit seiner groß angelegten Studie insofern nachzukommen sucht, als er für eine Wiederaufnahme des anachronistischen und zugleich aktuellen Prozesses gegen Joseph Süß Oppenheimer wegen »Hochverrates und Majestätsbeleidigung«, wegen »Aussaugung des Landes durch tolle Machinationen« und zahlreicher anderer Verbrechen in den Jahren 1737/38 plädiert. Ferner für eine Wiederaufnahme des Verfahrens gegen Veit Harlan, den Regisseur des Spielfilms *Jud Süß*, dem von 1948 bis 1950 der Prozess wegen Verbrechen gegen die Menschlichkeit gemacht wurde.

Knillis Beweisstücke begründen einen postumen Freispruch für Joseph Süß Oppenheimer, der 1738 hingerichtet wurde. Sie begründen auch eine posthume Verurteilung Harlans, der zweimal freigesprochen wurde, 1949 und 1950. Und sie begründen eine Rehabilitierung des Schauspielers Ferdinand Marian. Er wird noch immer geächtet und wie ein Aussätziger behandelt.

Köln, im Februar 2000   *Alphons Silbermann*

Einleitung

Durch die mondbeglänzte Cyberzaubernacht, die den Sinn gefangen hält, gleitet ein riesengroßer Schatten über den Himmel von Berlin. Er gehört unverkennbar einem bald hundertjährigen Judendarsteller, der auf einer Sau hoch über dem Brandenburger Tor dahinreitet und lüstern nach kleinen Jungs Ausschau hält und nach Berliner Gören im Schlaf. Er heißt Ferdinand Marian und spielte die Titelrolle in dem berüchtigten Spielfilm *Jud Süß*, der 1940 im Ufa-Palast Premiere hatte und der seit 1945 verboten ist, also seit über einem halben Jahrhundert. Trotzdem wissen noch viele Deutsche von der Existenz dieses Kinohits, 1983 immerhin 6 Millionen Westdeutsche. Nur seinen Inhalt und seine Darsteller kennen die meisten nicht oder nur von Gerüchten, die ihnen Antisemiten zuflüstern oder berühmte Nazijäger und Holocaust-Historiker genehmigen. Dadurch entsteht ein ganz neuer Film in den Köpfen der Leute. 1968 lockt die Zeitschrift *film* ihre Leser mit einer antisemitischen Szene, die es im Film gar nicht gibt. Das Foto zeigt angeblich »Karikaturen jüdischer ›Untermenschen‹ in *Jud Süß*« und illustriert damit Erwin Leisers Aufsatz über seinen Dokumentarfilm *Deutschland, erwache!* 1971 erzählen zwei britische Filmhistoriker ihren Lesern das Märchen von »Werner Krauß as Jew Süss«. 1983 wirbt der Ullstein Verlag für ein Filmbuch ebenfalls mit einer antisemitischen Szene, die in *Jud Süß* gar nicht vorkommt. 1994 behauptet der Kulturhistoriker Frank Stern, Werner Krauß habe den Süß gespielt. Stern verkündet das nicht in irgendeiner der im 20. Jahrhundert so beliebten Wochen der Brüderlichkeit, sondern in einem wissenschaftlichen Almanach des Leo Baeck Institutes Jerusalem. 1995 versucht ein freiberuflicher Antisemitenjäger, Götz Georges Erfolg in Venedig mit der Behauptung zu vermiesen, Heinrich George habe den Süß gespielt. 1999 verdammt eine Historikerin des Münchener Institutes für ›amtliche‹ Zeitgeschichte den Schauspieler Werner Krauß wegen seiner angeblichen Darstellung des Joseph Süß Oppenheimer, und das tat die gnä' Frau nicht in einem bayerischen Kasblattl, sondern in einem Artikel des für die politische Erwachsenenbildung veröffentlichten *Biographischen Lexikons zum Dritten Reich.* Und 1999 empört sich der steirische Journalist Kurt Wimmer darüber, dass der Spielfilm das heitere jüdische Purimfest zu einer Rachekundgebung gegen die Gojims verfälsche, die traditionelle Schächtung zu einer sadistischen Tierquälerei umfunktioniere und Juden aus Ghettos als Statisten verwende, was eine besondere Perfidie sei. Seine Betroffenheit reicht für zwei Seiten der *Kleinen Zeitung* in Graz und ist die Einführung in eine *Jud Süß*-Aufführung, die der Österreichische Zeitgeschichtetag am 29. Mai 1999 in der ehemaligen Stadt der Volkserhebung veranstaltet. Aber keiner der im Kino anwesenden Universitätsprofessoren ergreift nach der Vorführung das Wort, Wimmers offensichtlichen Unsinn zurückzuweisen. Dieser Aberwitz wird nur noch durch das überboten, was unter dem Namen der Humboldt-Universität Berlin per Internet verbreitet wird. Die Wiederkäuer grasen also bereits auf dem Campus.

Mit dem *Jud Süß*-Stoff beschäftige ich mich schon eine Weile, etwa seit Beginn der siebziger Jahre. Mit einer banalen Beobachtung fing alles an. Mir fiel die doppelte Sexualmoral des Films auf. Die Antisemiten ermorden Süß wegen sexueller Vergehen, und zwar mit einer Wollust der Ehrbarkeit, die einen förmlich lüstern macht. Von Anfang an blickt der Kameramann schamlos und ohne Konsequenzen fürchten zu müssen auf nackte Brüste und Oberschenkel der Frauen und in erregte Männervisagen. Um diese doppelzüngige Sexualität aufzuklären, begann ich, alles über Süß zu sammeln. Es waren fast die schönsten Jahre meines Lebens. Denn ich reiste viel umher. Ich war mit dem Auto und der Eisenbahn in Deutschland und Österreich unterwegs, in Polen, in Tschechien und in Kroatien. Ich flog nach Italien, Spanien, Frankreich und nach England, in die

USA, nach Mexiko, Brasilien, Argentinien, Chile und sogar nach Australien. Ich recherchierte in Jerusalem. Und ich besuchte Dachau, Sachsenhausen, Theresienstadt und Auschwitz. Ich durchwühlte Archive und Bibliotheken und interviewte Filmnarren und Fachleute, lernte Juden und Antisemiten verstehen, willensstarke Überlebende des Holocaust und dahin dämmernde SS-Greise. Meine Recherchen wurden immer wieder unterbrochen durch Aufträge, die eiliger schienen, unter anderem durch eine mehrere Jahre dauernde Untersuchung der Produktionsgeschichte und der weltweiten Rezeption der amerikanischen Familienserie *Holocaust*. Aber diese Ablenkungen störten nicht, sondern waren willkommene Denkpausen für die Vorbereitung weiterer Nachforschungen, die mitunter wie Detektivgeschichten abliefen und insgesamt Stoff für eine Seifenoper über Mütter, Väter, Witwen und Staatsbeamte liefern könnten. So versuchte Marta Feuchtwanger mit Hilfe ihres Rechtsanwaltes und der Polizei, meine Testvorführung des Nazifilms in Los Angeles zu verhindern, nicht wegen der dummen Antisemiten, sondern weil sie mit dem Verbot angebliche Autorenrechte ihres Mannes an diesem Nazifilm amtlich festschreiben wollte. Mit einer rechtlichen Abmahnung verbot die Murnau-Stiftung ein Jud-Süß-Tribunal im Internet, weil sie Eigentumsrechte der Bundesrepublik Deutschland an diesem Film zu schützen hat. Solche Beamtenwillkür konnte ich dann und wann mit Rosen, Sachertorten und Sekt mildern, nicht bei beamteten Kollegen und Kolleginnen, die mir seit Jahren die Einsicht in ihre Marianquellen verweigern, nicht beim Finanzamt Zehlendorf, das immer wieder meine hohen Werbungs- und Bewirtungskosten anzweifelte. Aber die schöne Betriebsprüferin, die zum ersten Mal mein Marian-Mausoleum besichtigte, und ihr männlicher Begleitschutz aus dem ÖTV-Biotop verstanden sehr schnell, dass meine Marian-Omas Kaffee, Kuchen und Eierlikörchen brauchten, um noch einmal über Marians Virilität ins Schwärmen zu kommen. Sie tranken jetzt viel, die Greisinnen, denen er einmal Heiratsanträge gemacht hatte und denen er bis heute noch Geld schuldet. Einige warme Mahlzeiten kosteten auch die Saufgeschichten, die mir seine steirischen Freunde erzählten. Eine kostenlose Gehässigkeit dagegen war die Nachricht, dass Marians Sohn gar nicht sein Sohn sein könne, weil Marian impotent gewesen sei. Diesen Hinweis bekam ich in einem morgendlichen Ferngespräch von Ruth von Cervony, die immerhin vor und nach der Zeugung des Sohnes Marians Braut war und während des Telefonates in einem Krankenbett lag und auf den Tod wartete. Und selbstverständlich traf ich mich auch mit Kristina Söderbaum, einmal im Bayerischen Hof in München, ein anderes Mal in einem Szene-Lokal auf dem Kurfürstendamm. Ich wollte damit meine infantilen Erinnerungen an ihren überlebensgroßen Leinwandbusen los werden. Ich sah ihn zum ersten Mal inmitten meiner Pubertät und wurde dadurch sehr hungrig. Ihre Brüste sind im *Süß*-Film besonders schön und voll, weil Kristina, wie sie mir erzählte, während der Dreharbeiten ihren ersten Säugling stillte. Auf dem Weg zu einer für sie allein veranstalteten *Jud Süß*-Vorführung wurde die schöne Seniorin von einem Hund gebissen, nicht in den Busen, sondern in den Oberschenkel. Während ich sofort Erste Hilfe leistete, kommentierte ich stumm: »Deutscher Schäferhund beißt Reichswasserleiche!« Wesentlich näher gekommen bin ich der greisen Schwester des verstorbenen Drehbuchautors, die mir dafür das Exposé des *Jud Süß*-Films schenkte. Ein Beichtvater dagegen war ich der Witwe des Drehbuchautors. Mit Tränen gestand sie, dass ihr verstorbener Mann sie mit Karena Niehoff betrogen habe, und zwar während deren gemeinsamer Arbeit am *Jud Süß*-Drehbuch. Die Eifersucht war immer noch lebendig und so stark, dass die herzkranke Witwe nach dem Interview mit mir starb. Ich war der letzte Mann und Mensch in ihrem Leben. Bereits zu Beginn meiner Nachforschungen verstorben war Erich Engel, der berühmte Brecht-Regisseur (*Die Dreigroschenoper*) und Mitstreiter des Berliner Ensembles zu DDR-Zeiten und Marians bester Freund und Helfer in der Not. Mit diesem sprachkritischen Regisseur kam ich aber durch ein Buch aus seiner Bibliothek in einen handgreiflichen Kontakt. Dieses corpus mysticum ist ein Exemplar des *Weltgerichts* von Karl Kraus, über den Engel 1919 schrieb: »Er hat das Messer und die Liebe.«

Im Lauf meiner Marian-Recherchen wurde ich immer wieder mit meiner steirischen Herkunft konfrontiert und entdeckte dabei romanhafte Verbindungen zwischen Marian und mir. Immerhin wohnte ich einmal über dem Kaffee Wienerhof, Grazbachgasse Ecke Klosterwiesgasse, wo auch die Marians wohnten. In der Klosterwiesgasse 3, im Haus des Komponisten Hanns Holenia, unterhielt ich mich mit dem Altnazi und Antisemiten Papesch über dessen Volksstücke, in denen, wie ich später herausfand, Marian in Graz brillierte: im Schauspielhaus und im Opernhaus. Beide Bühnen kannte ich. Auch das Radiostudio, in dem Marian vor dem Mikrofon stand. Und ich entdeckte bei den Recherchen, dass Marian meiner jungen Mutter, einer Venier, den Hof gemacht haben konnte, in Trofaiach oder in dem nahen Vordernberg, wo sie unglücklich verheiratet lebte mit dem alten impotenten Eisenbahner Hribernik, den die geschlechtshungrige Frau wahrscheinlich mit jedem feschen Mannsbild betrogen hätte, nicht nur mit dem sozialdemokratischen Dorfgendarmen Jakob Seier, meinem Vater.

Im vergangenen Jahrhundert gab es Filmrollen, die nicht nur die Identität, sondern sogar das Leben kosteten. Eine solche war auch der Jud Süß. Marian weigerte sich fast ein Jahr lang, die Figur zu spielen. Er ging sogar zu Doktor Goebbels. Aber weil er gerne gut aß und viel trank und an einer ständigen Angst vor sozialer Missachtung litt, stellte er sich vor die Kamera und zeigte einen tragischen Liebhaber, ebenbürtig den großen Charakteren Shakespeares. Sein Süß ist ein eleganter Aufsteiger, ein so genannter Hofjude, der sich assimilieren will, sich aber für seine Herkunft schämt wie heute ein von den Westdeutschen entrechteter Ostdeutscher für seine kommunistische Vergangenheit. Er verheimlicht deshalb sein Judentum. Aber die Angst, entlarvt und gedemütigt zu werden, führt zu einer Verwirrung der Gefühle. Marian ist edel, aber kein blöder Nathan. Er ist aber auch rachsüchtig, jedoch kein dummdreister Shylock. Marian zeigt die Tragik des assimilierten Juden, dem die garantierte rechtliche Gleichstellung durch einen staatlichen Willkürakt genommen wird und der dadurch ins Verderben stürzt. Er ist der erste Schauspieler, welcher für Juden, die sich ihrer Herkunft schämen, eine überzeugende Gestalt findet. Er zeigt keine antisemitische Karikatur, sondern realistisch einen Juden, der sich in einem von Judenhass durchtränkten Deutschland assimilieren möchte. Und Marian benutzt dafür Verfremdungstechniken, die ihm der Brecht-Regisseur Erich Engel inmitten der Nazizeit in

17

Berlin beibringt. Er gibt mit epischen Elementen der Figur eine Tiefe des Gefühls, die nur Feuchtwanger mit seinem dramatischen Roman erreichte. Marian zeigt den Deutschen einen jüdischen Liebhaber, dessen einzige Schuld es ist, Deutscher sein zu wollen. Marian erreicht damit, dass der Film auch als tragische love story gelesen werden kann und nicht nur als sadistischer Himmler-Befehl an alle, jüdische KZ-Häftlinge zu Tode zu prügeln. Sein Süß ist die Kinoikone einer tragischen Liebesaffäre zwischen einem assimilierten Juden und einer Deutschen inmitten des Holocaust.

Die Sieger des Zweiten Weltkrieges gingen mit den deutschen Filmkünstlern sehr willkürlich um. Die sowjetischen Militärbürokraten verlangten von Leuten, die vierundzwanzig Stunden zuvor noch die Hand zum Hitlergruß erhoben hatten, eine antifaschistisch geballte Faust. Amerikanische Kulturoffiziere, nicht nur jüdische Emigranten, belohnten die Kunst der Arschkriecherei. Die meisten der an der Herstellung und Verbreitung des Spielfilms *Jud Süß* Beteiligten hatten es aber leicht. Kein Kinobesitzer, der an der Vorführung dieses antisemitischen Filmes reich wurde, wurde zur Verantwortung gezogen. Kein Zeitungsverleger, der an der Werbung für diesen Hetzfilm verdiente, wurde bestraft. Kein Rundfunkredakteur. Nicht einmal das Terra-Team, das den Film plante und herstellte. Ganz im Gegenteil. Wolfgang Staudte, der als Kleindarsteller mitwirkte, drehte mit einem ehemaligen SA-Mann in der Hauptrolle den ersten großen antifaschistischen Spielfilm *Die Mörder sind unter uns* für die DEFA. Und Zeller, der Komponist des *Jud Süß*-Filmes, schrieb die Musik für den philosemitischen DEFA-Film *Ehe im Schatten* von Kurt Maetzig und für Artur Brauners westzonale CCC-Produktion *Morituri* (1948). Musikalische Motive aus dem *Jud Süß* werden in dem KZ-Film unüberhörbar zitiert. Boleslaw Barlog, Dramaturg des Films, wurde Intendant des Schiller-Theaters in Westberlin. Rehabilitieren konnte sich auch Werner Krauß, der fünf Juden in dem Film karikierte. Er bekam sogar den Iffland-Ring, den heute Bruno Ganz trägt, ohne dass diesem der Finger abfällt. Der Regisseur des Filmes, Veit Harlan, wurde 1948 wegen Verbrechen gegen die Menschlichkeit angeklagt, aber freigesprochen (1949), ebenso im Revisionsverfahren (1950), und ist auf Capri gestorben, wo ja auch die Sonne ins Meer versinkt.

Andere hatten solche Chancen nicht. Heinrich George, der den Herzog spielte, starb 1946 nach einer Operation in dem russischen Konzentrationslager Sachsenhausen. Von einem jüdischen Arzt zu Tode behandelt wurde angeblich auch der erkrankte Drehbuchautor Ludwig Metzger. Maria Byk, Marians Frau, verlor ihr Leben ebenfalls unter merkwürdigen Umständen. Und Ferdinand Marian, der nach Hollywood emigrieren wollte, kam nur bis München, wo er in den Alkohol flüchtete. Bei Kriegsende versteckte er sich unter Nazis im Allgäu, erhielt Spielverbot von den Amerikanern und kam am 9. August 1946 auf einer Landstraße nach Freising gewaltsam ums Leben. Schauspielerkollegen vermuten Selbstmord. Antisemiten behaupten, Ferdl sei das Opfer eines jüdischen Racheaktes geworden. Antifaschisten sind überzeugt, dass er von Werwölfen ermordet wurde, weil sie ihn für einen Juden hielten. Es gibt auch Gerüchte, dass Marians gleichaltrige Stiefmutter aus Habgier mordete, immerhin gab es Streit um das Erbe. Marian könnte auch aus Eifersucht ermordet worden sein, denn ein amerikanischer GI war hinter Marians tschechischer Geliebten her. Er heiratete sie nach Marians Tod. Im Bericht des örtlichen Polizeibeamten ist nur von einem technisch bedingten Autounfall die Rede.

Als ich vor über dreißig Jahren mit meinen Recherchen begann, hielt ich Marian für einen Schlurf, einen billigen Vorstadtcasanova, für einen, wie Marcel Reich-Ranicki ihn charakterisiert, ungewöhnlich dummen und kindischen Mann. Aber Jahre später und nach 1200 eigenen Seiten über ihn kannte ich seine Körpergröße (1,81 m), die Farbe seiner Haare (dunkel) und die seiner Augen (braun). Er wurde mir so vertraut, dass ich mit ihm im Traum telefonierte, ihn Papa rief und allmählich aufhörte, ihn zu siezen. Heute ist er nur noch der Ferdl und eine Art Freund, und ich sein Ben Matlock, sein unermüdlicher Anwalt.

Deshalb ist dieses Buch keine üble Nachrede, aber auch keine Ehrenrettung, sondern der biografische Versuch, einen Mann von einem Gesicht zu befreien, das nicht das seine ist, das sein zweites Gesicht wurde. Marian wurde das überlebensgroße Gesicht seines immer wieder aufgeführten Oppenheimer nicht mehr los. Marians Jude wird seit einem halben Jahrhundert gehenkt und gehenkt und gehenkt und gehenkt, in jeder einzelnen Filmvorführung aufs

Neue, wie der Märtyrer in einem katholischen Passionsspiel. Der Filmschauspieler verlor durch die permanente technische Reproduktion sein Antlitz. So lange dieses ihm aber nicht zurückgegeben wird, lebt er weiter als Jude in einem virtuellen Geister- und Totenreich, das für Metaphysiker der Neuen Medien ja kein Ort des Schreckens ist, sondern ein schöner heiler Cyberspace, wo noch Wunder geschehen, welche Ferdl zu einem Schutzpatron seiner Kollegen machen könnten.

»Heiliger Ferdinand Israel, bewahre die Schauspieler im Zeitalter ihrer technischen Reproduzierbarkeit vor der Rolle des Geächteten und Aussätzigen!«

Joseph Süß Oppenheimer, genannt Jud Süß (1698–1738)

Prototyp antisemitischer Erotik und Pornographie

Es gibt zahlreiche antisemitische Judenfiguren. Eine solche ist auch der Sittenverderber. Er steht in einer langen Tradition sexueller Phantasien von Judenfeinden und Antisemiten. Deren ältestes Motiv ist die Judensau, eine Mischung aus Analerotik und Sodomie: Juden lecken einem riesigen Mutterschwein den Hintern aus und saugen an dessen Zitzen. Beliebte antisemitische Motive sind die Beschneidung, der jüdische Mädchenhändler und Zuhälter, die Jüdin als Bordellmutter und als Prostituierte mit Riesenbrüsten. Populär ist auch der jüdische Lustgreis, der sein Geschlechtsteil mit Schokolade bestreicht und Kinder zwingt, die Schokolade abzulecken. Nach Auschwitz kommen zu diesen sexuellen Stereotypen neue hinzu, insbesondere der Versuch, mit pornographischen Argumenten den Holocaust als Lüge zu denunzieren. Neu ist zudem der Versuch, Antisemiten per Mausklick zum Orgasmus zu bringen. Längst finden sich im Internet Juden denunzierende pornographische Darstellungen aller Art. Neu und ohne Tradition vor Auschwitz ist etwa das Motiv der Gaskammer. In ihr sitzt ein Jude. Aber das Gas, das den Raum füllt, ist nicht Zyklon B, sondern entweicht Weiberärschen, welche die Kammer vollfurzen. Die Gaskammer ist, österreichisch gesprochen, eine Schasskammer.

In dieser langen Mediengeschichte antisemitischer Erotik und Pornographie ist Joseph Süß Oppenheimer, genannt Jud Süß, der Prototyp des jüdischen Sittenverderbers. Er kam 1698 in Heidelberg zu Welt. Sein langsamer Aufstieg vom kleinen Händler zum Pächter staatlicher Monopole begann in Mannheim. 1733 wurde er Münzenproduzent in Darmstadt und zog wegen wachsender Geldgeschäfte nach Frankfurt um. Entscheidend für sein Leben aber wurden die Aufträge, die er für Carl Alexander von Württemberg erledigte. Süß stieg auf vom Privatbankier zum Geheimen Finanzienrat und damit zum bestgehassten Mann in Stuttgart. Nach dem Tode des Herzogs im Jahre 1737 wird Süß vor ein Geheimes Gericht gestellt. Es verurteilt den Unschuldigen zum Tode. Der Justizmord findet am 4. Februar 1738 statt. Er war ein europäisches Medienereignis, denn was aus den Verhören an die Öffentlichkeit gedrungen war, machte ihn zu einem neuen Sexualteufel judenfeindlicher Marktschreier. Denn verhört wurden auch die Frauen, mit denen er geschlafen hatte. Diese mussten im Verhör genau beschreiben, was Süß mit seinem Penis tat, wo er seinen Samenerguss hatte, in der Scheide oder außerhalb. Und das alles wurde Wort für Wort protokolliert. Hellmut G. Haasis hat das in seinem neuen Süß-Buch zusammengetragen:

Bei jeder Begegnung von Süß mit einem weiblichen Wesen fühlten die Untersuchungsrichter sich mit einer Erektion konfrontiert, in ihrer Phantasie der von Süß, in Wirklichkeit ihrer eigenen. Der Sexualneid voyeuristischer Männer tritt in den Verhörprotokollen unverhüllt auf. Mit Lust stürzten sich die Juristen auf Spuren seines Liebeslebens. Unter Ausschluss der Öffentlichkeit durften sie alles ausforschen, perverserweise bei den Frauen, nicht beim Charmeur selbst. In den Untersuchungen der weiblichen Körper fiel blanker Sadismus über die Opfer her. Ansonsten gab's nur erotisches Kleingeld: papierene Sexualität, tütenschwarze Stimulation der Phantasie, unaufhaltsames Nachsetzen bei den zurückweichenden Frauen. Voyeurismus in der Dienstzeit.

Mit sex and crime bedienten Drucker und Verleger 1737 bis 1739 nicht nur die sexuelle Neugierde von Voyeuristen und Sodomiten, sondern auch den politischen Protest gegen die so genannte Herzogspartei. Die explizite Beschreibung der Sexualität des zunächst verhafteten und später hingerichteten Finanzministers hatte subversive und denunziatorische Eigenschaften. Mit Erotica Judaica kritisierten die Schwaben ihre politischen Autoritäten, die einen Juden im Herzogtum hochkommen ließen, in einer Zeit, in der Juden nicht dieselben Rechte besaßen. Ein beliebtes Lustobjekt antisemitischer Phantasien war selbstverständlich Oppenheimers beschnittener Penis. In einem Guckkastenstück aus dem Jahre 1738 schreibt eine Christin an Süß:

Euer Exzellenz! (...) Hätte mein Lebtag nicht gemeint, dass ein Verschnittener eben so viel Kraft und Vermögen, als einer von unsern Leuten besitzen, und eine Weibs-Person so wohl vergnügen könnte.

Oppenheimers Antwort:

Schöne Frau! Etwas will mich in eurem Schreiben fast verdrüßen, weil ihr mich verschnitten nennet, wisset aber, dass ein großmächtiger Unterschied unter einem Beschnittenen und Verschnittenen. Das erste schadt der Liebe nicht, wohl aber das Letztere, indem ein Verschnittener zu denen angenehmen Liebes-Wercken ganz und gar untüchtig. Kommt nur fein bald und etwas zeitlicher, ehe die andern kommen; so sollt ihr deutlich erfahren, welche große Kraft ein Beschnittener habe.

Diese Süß-Pornographie entsteht in einer Krise der europäischen Gesellschaft und Politik, in der pornographische Veröffentlichungen insgesamt zunehmen, weil damit die obszöne Verbindung zwischen Ausschweifung und Tyrannei entlarvt werden sollte. Mit dem Beginn der schrittweisen rechtlichen Gleichstellung der Juden – 1781 erließ Joseph II. ein Toleranzedikt – änderten sich auch die sozialen und politischen Funktionen antisemitischer Pornographie. In den folgenden hundert Jahren, die sich die rechtliche Gleichstellung der Juden in Deutschland hinzieht, wechselt die denunziatorische Süßpornographie mit Süßerotik zur Unterhaltung. So erinnert sich ein hundertjähriger Aufschneider 1801, dass eine sodomitisch wie analerotisch stimulierte Menge Süß aus der Kutsche gerissen und ihm »Sauschwänze und Saunäbel« um das Maul geschlagen habe, aber er vermeidet Obszönitäten und ergreift Partei für den Juden. 1804 veröffentlicht Freiherr von Aretin geheime verschlüsselte Nachrichten über Süß, der hier Dulcis genannt wird. Der erfolgreichste Süßautor in den Jahren der Emanzipation war der Schwabe Wilhelm Hauff, der 1827 für eine der ersten Familienzeitungen, nämlich Cottas *Morgenblatt für gebildete Stände*, mit einem erotischen Süß lockte. Der Jude ist zwar Zuhälter, wird aber von Hauff nicht so genannt, sondern erscheint als skrupelloser Bruder, der mit der Schönheit und Jungfräulichkeit seiner Schwester und deren Liebe zu einem jungen Christen dessen Vater erpressen will, seinen politischen Gegner. Aber Oppenheimers Erpressungsversuch misslingt und ist der Anfang vom Ende: Süß wird hingerichtet, die schöne Jüdin ertränkt sich freiwillig im Neckar. Ihr Geliebter überlebt, bleibt aber ledig und todunglücklich. Ganz anders enden die beiden Dramen, die nach Hauffs Fortsetzungsnovelle geschrieben wurden. Das erste stammt von Albert Dulk, das zweite von Otto Ludwig. Dulks *Lea* (1848) ist eine Parteinahme für die Judenemanzipation und eine Ehrenrettung Oppenheimers, der sich mit dem Liebhaber seiner Schwester sogar versöhnt: »Lebt wohl! Ihr seid nun doch mein Freund geworden ...« Süß wird zum jüdischen Märtyrer, seine Schwester wahnsinnig. In Otto Ludwigs Fragment *Aronstab* besitzt die Hauptfigur zwar auch eine Schwester, heißt aber nicht Süß und lebt auch nicht in Schwaben. Der Jude nennt sich Ben Mardochai, ist Marchese von Belcomo und hat fatale pädophile Neigungen zu seiner kleinen Schwester, die er so weltfremd erzieht, dass sie sich das Leben nimmt. Das Interesse am Leben und Sterben des Joseph Süß Oppenheimer ist in Schwaben so groß, dass Theodor Griesinger 1860 ein Jahr lang wöchentlich die Leser seiner *Schwäbischen Familien-Chronik* mit einem Fortsetzungsroman unterhalten kann. Griesinger macht aus Süß einen Juden, den nicht einmal eine Jüdin zum Gatten haben möchte: »Nein, Vater, sprich kein Wort mehr zu seinen Gunsten, denn nie und nimmermehr kann Mirjam sein Weib werden.« Ganz neue Süßbilder entstehen im Kampf gegen den organisierten Antisemitismus, der sich nach der rechtlichen Gleichstellung 1870/71 formiert. Es sind Ja-aber-Bilder, mit denen jüdische Autoren nicht Oppenheimer verteidigen, sondern sich für ihn schämen und gegenüber Antisemiten rechtfertigen: Süß sei ja ein Wüstling gewesen, gut, aber nur eine Ausnahme. Sie schildern ihn so drastisch, dass er selbst von Antisemiten geliebt und von gläubigen Juden gehasst wird. Jüdische Sympathien und Leser gewinnt Süß erst am Ende seines Lebens, wenn er sich entschließt, lieber zu sterben, als sich taufen zu lassen. Ein solcher Hurenbock und Heiliger ist auch der Süß des orthodoxen Rabbiners Marcus Lehmann in einer Fortsetzungsnovelle aus dem Jahre 1872:

Er aß und trank wie ein Nichtjude; er feierte weder den Sabbat noch den Versöhnungstag; er lebte in Saus und Braus, und sein unsittlicher Lebenswandel, seine Gewalttätigkeiten gegen Väter und Ehemänner zogen ihm ebenso viel Hass zu wie die Erpressungen seiner Regierungsweise.

Auf einen entsprechenden Vorwurf antwortet Lehmanns Süß:

Glaub mir, Oheim, wenn ich gerecht wie David und weise wie Salomon regiert hätte, sie hätten dennoch den Juden verwünscht und verflucht.

Ein Sittenverderber ganz nach dem Geschmack der Antisemiten ist Jud Süß auch 1912 in Fritz Runges gleichnamigem Schauspiel. Er ist Zuhälter und betrügt einen seiner treuesten Anhänger mit dessen Frau. Er ist Fetischist und pädophil, lüstern nach der kleinen Miriam, die ihren Bruder, einen Krüppel, zärtlich anfasst: »Schade, dass du mich so wenig leiden magst! Lass uns Freunde werden! Komm, gib mir deine Hand, Kind!« Diese Neigung zu dem Kind verwandelt ihn und macht am Ende aus dem Judas einen jüdischen Märtyrer, der zwar zusammenbricht, aber auf seinen Tod wartend betet: »Adonai!« Einen Höhepunkt dieser Hurenbock- und Märtyrererotik erreicht Lion Feuchtwanger mit seiner Mischung erotischer Motive. Er bearbeitete den Stoff das erste Mal für ein Schauspiel in vier Bildern und drei Akten und danach für den Roman. Das Bühnenstück hatte am 13. Oktober 1917 in München Premiere und wurde ein Reinfall. Ein Bestseller dagegen wurde 1925 der Roman, den Juden wie Antisemiten verschlangen, weil er beide Lesergruppen reizte und durch die zeitliche Nähe zum Rathenau-Mord (1922) eine kolportagehafte Aktualität besaß, die von orthodoxen Juden freilich abgelehnt wurde: »Aber trotz aller Wucht der Darstellung«, heißt es in der Monatsschrift *Jeschurun*, dem Sprachrohr der jüdischen Orthodoxie,

ist dieses Buch eines der unbefriedigendsten Bücher, die uns aus jüdischer Feder in dem letzten Jahrzehnt begegnet sind. In der Darstellung des Obszönen weiß es sich nicht genug zu tun (…). Sollte nicht in einer Zeit, in der die deutsch-völkische Literatur den Juden als die Inkarnierung aller Laster, als die Fleisch gewordene Unsittlichkeit hinstellt, in einem jüdischen Autor sich so etwas wie ein Bedenken darüber regen, unseren Todfeinden ein solches Muster auszuliefern?

Der Roman wurde in 56 Sprachen übersetzt und für verschiedene Medien bearbeitet. Die erste Bühnenfassung nach Feuchtwanger stammte von Ashley Dukes und war 1929 ein Riesenerfolg in London. Die zweite schrieb Avi-Shaul und begeisterte 1933 Tel Aviv. Lediglich einen Achtungserfolg erzielte Jacques Kraemer 1982 mit seiner Bühnenbearbeitung. Die erste Hörspielbearbeitung wurde 1930 ausgestrahlt, die zweite 1981. Beide gingen sang- und klanglos im Äther unter. Die Verfilmung des Romans fand in London statt, die Uraufführung gleichzeitig auch in London, in New York und Toronto, in New York sogar mit einem spektakulären funktechnischen Experiment: Nach der Vorführung des Films wurden Fernsehbilder im Kino gezeigt, gefunkte Standbilder von der Premiere in London. Aber weder in New York noch in Toronto kam Lothar Mendes mit seinem Spielfilm *Power* über einen Achtungserfolg hinaus, nicht einmal im heimischen London. Feuchtwangers Medienerfolg inspirierte immer wieder Autoren, sich mit dem Stoff zu beschäftigen. So schrieb Paul Kornfeld 1930 statt des geplanten Don-Juan-Dramas eines über Süß, das ein halbgebildeter KPD-Angestellter 1930 in einer Mischung aus antikapitalistischen, antisemitischen und sexistischen Motiven verriss: »Paul Kornfeld ist ein minderbegabter, als Schieber verhinderter und als Dramatiker impotenter ›Jud Süß‹ des 20. Jahrhunderts.« In der Reihe dieser Rechtfertigungsliteratur ist Salomon Kohns Süßroman der konsequenteste. Er faszinierte 1887 und war für ein bis zwei Lesergenerationen ein Bestseller. Kohns Süß ist zwar auch ein Opfer der Assimilation und des Antisemitismus, aber zugleich eine Figur, die sich Sacher-Masoch oder der Weiberhasser Bernard Shaw ausgedacht haben könnte. Diese ist nämlich kein sexueller Draufgänger, sondern ein keuscher Joseph, der von einer Christin vergewaltigt wird:

»Du bist kein Mensch – du bist ein Engel; aber ich … ich bin ein irdisch liebend Weib, wie glühend flüssig Gold rollt das Blut in meinen Adern … meine Pulse fliegen … mein Herz schlägt dir entgegen – reißt mich zu dir! Sprich, was du willst! – Du kannst dich, deinen Geist emporschwingen, hoch … unendlich hoch! – ich – nicht – ich bin ein Weib – ein irdisch sinnlich Weib! – mich gelüstet's nach irdischer Paradieseswonne – ich halte dich – ich lass dich nicht – du bist mein … heute und für immer!« (…) Das schrankenlos leidenschaftliche Weib warf sich von Neuem mit ungezügeltem Feuer in Josefs

Arme … die süßesten, berückendsten Worte flüsterte sie in sein Ohr. Josef war rein, sittlich, edel – aber er war ein Mensch! – auch in seinen Adern begann das Blut im raschen Wellentanze zu hüpfen, – die schöne, glühende, üppige Verführerin ward endlich stärker als sein Wollen, als sein Können – sein Widerstand erlahmte – er erlag der übermächtigen Versuchung – weinend floh der Engel der Unschuld!

Mit den Nazis bekommt der Süß-Stoff seine pornographisch denunzierenden Hauptmotive, die er unmittelbar vor und nach der Hinrichtung Oppenheimers im Jahre 1738 besaß, wieder zurück, und zwar durch die Aufhebung der rechtlichen Gleichstellung der Juden, die 1933 mit dem Gesetz zur Wiederherstellung des Berufsbeamtentums eingeleitet und 1935 mit den Nürnberger Gesetzen vollzogen wird. Antisemitische Pornographie ist jetzt eine Aufgabe des Staatsbeamten, der tagtäglich ohne Scham den Geschlechtsverkehr der Juden zu beobachten und gegebenenfalls zu bestrafen hat:

Ich bin am Ort das größte Schwein
und lasse mich mit Juden ein!
Ich nehm' als Judenjunge immer,
nur deutsche Mädchen mit aufs Zimmer!

In diesen Jahren der Verfolgung, Vertreibung und der Ermordung von 6 Millionen Juden gab es drei Versuche, den Süß-Stoff zeitgemäß zu bearbeiten: 1933 ein Theaterstück von Eugen Ortner nach Hauff. 1937 eine Radio-Oper von Karl Otto Schilling, ebenfalls nach Hauff. Und 1940 den Spielfilm von Veit Harlan. Erfolg hatte nur Harlan mit seiner zeitgemäßen Mischung aus Erotik und Antisemitismus. Er verzichtete dabei auf kein bekanntes antisemitisches Argument und auf kein pornographisches Motiv und erzielte damit einen internationalen Bestseller. Seit 1945 ist die Aufführung des *Jud Süß*-Films ein Tabu. Dieses Verbot hatte zur Folge, dass der einst staatspolitisch wertvolle Film zu einem Staatsgeheimnis wurde. Dass mit der Enthüllung dieses Geheimnisses Millionengeschäfte zu machen seien, glaubten Anfang der fünfziger Jahre nicht nur Kaufleute, sondern auch Finanzbeamte. Sie akzeptierten gestohlene *Jud Süß*- Kopien als Pfand für nicht bezahlte Steuerschulden. Und ein Pfand sollten die Kopien auch für unbezahlte Autorenansprüche sein, welche die Witwe Lion Feuchtwangers stellte. Diesen hohen Marktwert des Stoffes abzukassieren, versuchten verschiedene Filmproduzenten mit Neuverfilmungen, die aber nicht zustande kamen. Den Mythos des Harlanfilms durch eine das Publikum faszinierende Ehrenrettung Oppenheimers zu zerstören, versuchte Dieter Munck 1983 mit einem Theaterstück in Bonn. Aber er schaffte es nicht, nicht einmal, sich Harlans Publikumserfolg zu nähern, geschweige denn, ihn zu übertrumpfen. Das gilt auch für Gerd Angermanns ZDF-Dokumentarspiel (1984), für die Erzählung *Joseph Süß Oppenheimers Rache* von Hellmut G. Haasis (1994), für die Oper *Joseph Süss* von Detlev Glanert (1999) und für das Schauspiel *Jud Süß* von Klaus Pohl (1999). In Arbeit befindet sich ein Musical in Wittenberg und eine Neuverfilmung von Peter Lilienthal. Und dass es bald eine sadomasochistische Online-Hinrichtung des Joseph Süß Oppenheimer geben wird, dafür sprechen der rasante Vormarsch der Cybernazis und die Existenz von Virtual Nazi Concentration und Death Camps. Aber der vor über 300 Jahren mächtige Finanzienrat und Bankier eignet sich für subversive antisemitische Pornographie von heute nicht. Der Joseph Süß Oppenheimer nach Auschwitz muss ein Überlebender sein. Und diese Rolle wurde jahrelang mit Ignaz Bubis besetzt, von Antisemiten wie von Judenfreunden. Für die Stuttgarter Stadtväter weihte er am 15. Oktober 1998 den Joseph Süß Oppenheimer Platz ein. Und für Rainer Werner Fassbinder war Bubis einer von den reichen Juden, die er sich vorknöpfte, in dem Bühnenstück *Die Stadt, der Müll, und der Tod* (1975) und in dem Spielfilm *Lili Marleen*, einem Süß-Film. Diese Rolle spielte Bubis auch in dem Straßentheater Berliner Antisemiten, die 1998 ein Jungschwein mit einem blauen Davidstern und mit der roten Aufschrift BUBIS über den Alexanderplatz trieben. Und dass Ignaz Bubis in den vor allem aus Spanien, Holland, Kanada und den USA kommenden Pornoblättchen zur Zielscheibe der widerlichsten antisemitischen Aggression wurde, folgt dieser Logik. Denn hier heißt es: »Holocaust ist ein Sexkult …!«

Süß-Darsteller
vor und nach Auschwitz

Ferdinand Marian war nicht der erste Schauspieler, der den 1738 hingerichteten Joseph Süß Oppenheimer verkörperte, und er ist auch nicht der letzte. Vor und nach ihm spielten ihn Komödianten, Wandertruppen und sesshafte Schauspieler in Geheimtheatern, auf Guckkastenbühnen und Marktplätzen, im Radio, im Kino und sogar im Fernsehen im In- und Ausland. Vermutlich trugen Süß-Darsteller vor Auschwitz eine halb lange, dunkle Glatzenperücke, buschige Augenbrauen, die in der Stirnmitte fast zusammenstießen, an der Seite zwei Locken und einen ungepflegten schwarzen Vollbart. Mit Dunkelgrau, das sie sich in die Höhlen schmierten, legten sie die Augen tiefer. Mit etwas Altrot auf den Wangen und viel Weiß verstärkten sie die schwarzen Gesichtsfalten. Mit viel Rot wölbten sie ihre Unterlippe, und mit reichlich Kitt kneteten sie sich eine stark gekrümmte Nase. Auf eine solche antisemitische Maske verzichteten die Schauspieler nach Auschwitz. Sie machten aus Süß verlässlich einen Juden ohne Eigenschaften, aus Angst vor dem Antisemitismusvorwurf. Denn vor Auschwitz war es eine Schande Jude zu sein, nach Auschwitz ist es eine Schande, Antisemit zu sein. Trotzdem gibt es zwischen den Süß-Darstellern vor und nach Auschwitz genügend Gemeinsamkeiten, die einen Vergleich erlauben.

Unbekannter Wanderschauspieler (1739) und
Günther Stahl (1983)

Eine Gemeinsamkeit besteht sogar über zweihundertvierzig Jahre hinweg zwischen einem der ersten Süß-Schauspieler im Jahre

30

1738/39 und einem Schauspieler im Jahre 1983: Beide wollten ein Publikum, das sie nicht kannten, zum Lachen und zum Weinen bringen, eine zufällige Menge auf einem Marktplatz unterhalten. Wie der erste Süß hieß, ist unbekannt. Überliefert ist lediglich, dass er kein Hofschauspieler, sondern Mitglied einer Wandertruppe war. Hauptattraktion dieser Vorstellung war sicher nicht seine Juden-maske, sondern die Sau, die vor lauter Angst auf der Bühne brunzte und schiss, bevor Süß auf ihr über die Bühne ritt. Dieser Schweine-galopp verlangte Sportlichkeit vom Schauspieler und war zugleich eine Anspielung auf die bekannte Judensau, eines der ältesten sodomitischen Bildmotive antisemitischer Pornographie. Zweihun-dertvierzig Jahre später, 1983 in Bonn: Es ist Nacht in der Hauptstadt der Bundesrepublik Deutschland. Nur der Marktplatz ist taghell von Scheinwerfern erleuchtet. Durch die Menschenmenge drängt mit brutaler Gewalt bayerische SA. In ihrer Mitte ein halb nackter Mann. Sie führen ihn zur Hinrichtung ins spätbarocke Rathaus. Die-ser Süß ist keine Figur aus der jüdischen Leidensgeschichte, son-dern ein Nach-Holocaust-Jude, selbstbewusst und kämpferisch bis zu seiner Hinrichtung: ganz Israeli. Dieses Selbstbewusstsein begründet der Schauspieler Günther Stahl mit dem Sex-Appeal sei-nes nackten Oberkörpers. Er ist Sabre, ein in Israel geborener Jude, und hat nur Spott für die geilen Opas, für die alten Nazis und für die maskierten Antisemiten. Denn sie tragen Judennasen, sie haben Judenbärte angeklebt und sie mauscheln, nicht der Jude – die gelungenste Interpretation des Süß-Stoffes, weil sie sichtbar macht, dass das antisemitische Vorurteil etwas ist, das nicht den Juden anhaftet, sondern dem, der es besitzt, dem Antisemiten. In diesem Bühnenfeature verbindet der Autor und Regisseur Dieter Munck die Hinrichtung im Jahre 1738 szenisch mit dem deutschen Antisemi-tismus vor und nach Auschwitz so unterhaltsam und geistreich, dass die Menschenmenge auf dem Platz bis zum Schluss gebannt stehen bleibt. Selbst die Zaungäste in den Caféhäusern, Gaststätten und in den Fenstern des Stern-Hotels am Rande des Marktplatzes unterbrechen ihren Klatsch und Tratsch, um der Haupt- und Staats-aktion zu lauschen.

August Wolff (1848) und Reinhold Ohngemach (1988)

Vergleichen lassen sich auch die Süß-Darsteller August Wolff (1848) und Reinhold Ohngemach (1988). Wolff spielte die Rolle in der Uraufführung von Albert Dulks *Lea* am 23. Februar 1848 im Königsberger Stadttheater. Dulk hat sein Stück für diesen Schauspieler sogar umgeschrieben und mit einem neuen Titel versehen – *Joseph Süß, der Jude* – leider ohne Erfolg. Wolff bekam in einer mäßig besuchten Vorstellung nur mäßigen Beifall. Ähnlich erging es Reinhold Ohngemach mit dieser Rolle am 13. Januar 1988 auf der Württembergischen Landesbühne. Wer Dulks Süß in der Zwischenzeit spielte, ist noch nicht erforscht. Nachweise gibt es für einen Herrn Boll, der am 14. November 1872 in einer Aufführung im Stadttheater Ulm den Süß verkörperte. Der erste Süß-Darsteller konnte sich rühmen, dass eineinhalb Stunden nach der Premiere die französische Revolution ausgerufen wurde.

Samuel Goldenburg, Maurice Schwartz (1929) und Shimon Finkl (1933 und 1945)

Vergleichen lässt sich auch der Süß-Darsteller in New York von 1929 und sein Konkurrent in Tel Aviv von 1933 und 1945. Denn beide wandten sich an ein jüdisches Publikum. In New York sprach Süß jiddisch. In Tel Aviv hebräisch. Und beide kamen sehr unterschiedlich beim Publikum an. Einen Reinfall erlebte Maurice Schwartz mit seinem jiddischen Süß am 18. Oktober 1929. Star des Abends dagegen war Shimon Finkel im Habimah-Theater 1933 in Tel Aviv. Er spielte Mordechai Avi-Shauls Süß mit erhobenem Kopf, seiner Sendung bewusst. Er wollte seine Jüdischkeit nicht verheimlichen, im Gegenteil, er wollte zeigen, wie ein Jude handelt, der sich als Mensch der neuen Zeit, der den neuen Geist antizipiert, versteht. Um seine Andersartigkeit zu betonen, hatte er es auch abgelehnt, die vorgesehene weißgepuderte Perücke zu tragen, und gegen die Regieanweisung und den Wunsch des Regisseurs eine schwarze Perücke getragen. Er machte aus der Rolle einen Finkel Süß. In der Rezension der Jerusalemer Erstaufführung am 2. August 1933 wurde das Interesse des Publikums an der »das jüdische Schicksal« schildernden Aufführung gepriesen, das trotz der Länge des Schauspiels, »das bis spät in die Nacht andauerte«, keinen Augenblick erlahmt war. Und so zog der Thespiskarren der *Habimah* mit Finkel Süß von Dorf zu Dorf, von Kibbuz zu Kibbuz. Das war vor Auschwitz. Nach dem Massenmord spielte Finkel noch einmal Süß, aber ohne Erfolg.

Ernst Deutsch (1930) und Martin Schneider (1987)

Die Vergleichbarkeit zwischen den Süß-Darstellern Ernst Deutsch (1930) und Martin Schneider (1987) ergibt sich durch den Text von Paul Kornfeld, den beide benutzen: Ernst Deutsch in der Premiere von 1930 und Martin Schneider in einer Neuinszenierung im Jahre 1987. Sonst haben die beiden Schauspieler nichts gemeinsam, aber beide zeigen mit dem jungen Kaftanjuden, der aufsteigen will, ihre eigenen Schwierigkeiten des sozialen Aufstieges. Der Jude Ernst Deutsch ist 1930 bereits ein anerkannter Künstler, der mit Josef Kainz verglichen wird. Er erinnert sich mit seinem Süß an seine Anfängerschwierigkeiten. Ganz anders der noch unbekannte junge Anfänger Martin Schneider, Nachgeborener, Nichtjude: Er steckt noch mitten drin in den Karriereschwierigkeiten. Er benutzt, was er im Augenblick lebt, seine Jugend und seine Musikalität, um zu zeigen, dass hier einer kommt, der nach oben will. Über Ernst Deutsch schreibt der *Berliner Börsen Courier* am 8. Oktober 1930:

Ernst Deutsch hat die Aufgabe glänzend gelöst. Er war witzig und lustspielhaft beweglich im Kaftan. Er legte sich im Prunkgewande so etwas wie eine strahlende Persönlichkeit zu. Er überzeugte stärker durch Form und Schliff, als durch den Inhalt seiner Abenteurerrolle.

Siebenundfünfzig Jahre später heißt es über Martin Schneider in *Theater heute*:

Der Jude hat Füße wie Charlie Chaplin: der Jude als ewiger Tramp. Etwas dicklich, spätpubertär rund, Prügelknabe im schmutzigen, weiten Kaftan, stolpert er ins Zentrum der Macht (...). Bescheiden, behutsam, sanft und sachlich vor allem zeichnet Schneider diese heikle Figur: einen heimlichen Träumer, der sich mit gespielter Souveränität unsicher auf dem höfischen Intrigenparkett bewegt, ein Phönix aus dem Ghetto, der weniger seine politische und finanzielle Macht genießt, sondern vielmehr die einmalige Chance, Begabung und

Geist zu entfalten, sich selbst zu verwirklichen jenseits von jüdischer Außen-
seiter-Identität – so glaubt er. Und vertauscht den Kaftan mit einem Bürgerkos-
tüm und schneidet sich die Schläfenlocken ab. Doch wenn er sich mal freut,
zieht er verklemmt die Schultern nach oben, denn er ahnt wohl schon den nächsten Schlag, weiß um das mögliche Ende seines Glückes.

Ben Spanier (1930) und Hans Korte (1981)

Bei den Süß-Darstellern Ben Spanier (1930) und Hans Korte (1981)
ist es das gemeinsame Medium, das den Vergleich erlaubt. Denn
beide spielen Süß in Radiohörspielen. Und beide sprechen Mono-
loge und Dialoge von Autoren, die Feuchtwangers Roman dramati-
sierten. Ben Spanier spielte 1930 im Frankfurter Hörspielstudio in
einer Bühnenfassung, welche der bekannte englische Bühnenautor
Ashley Dukes schrieb und der englische Theatermann Matheson
Lang 1929 zu einem Schlager der Theatersaison machte, der so
erfolgreich war, dass das Stück sowohl auf dem Kontinent als auch
in den USA nachgespielt wurde, nicht zuletzt im deutschen Hörfunk
durch Ben Spanier. Aber der Bühnenerfolg in London konnte im
Radio nicht wiederholt werden, weil er nicht durch die Hauptfigur
oder deren Darsteller, Matheson Lang, zustande kam. Mittelpunkt
der Aufführung war eine Frau: Peggy Ashcroft, die mit ihrer Süß-
Tochter zum Star aufstieg (»That night a star was born«), zur bevor-
zugten Darstellerin prüder Jungfern. Der Süß, den Hans Korte 1981
für den Südwestfunk sprach, stammt von Walter Andreas Schwarz.
Dieser erzielte mit seiner Bearbeitung des Romans von Feuchtwanger für das Radio auch keinen Erfolg, sondern eher Mißverständ-
nisse, und zwar dadurch, dass er Feuchtwangers Antisemitismen
verlagert, wohl aus Angst vor dem Antisemitismusvorwurf. Er
nimmt den Spott des Romanerzählers über orthodoxe Juden und legt
ihn der Romanfigur Oppenheimer in den Mund, was den Hörspiel-
erzähler zu einer judenfreundlichen Figur macht und aus Süß einen
jüdischen Spötter. Korte hat zu höhnen:

Er kompromittiert einen mit seinem albernen jüdischen Gehabe … Unbe-
greiflich. – Senile Marotten. Hat Geld wie Heu, einen unermesslichen Kredit,
Beziehungen zu allen Höfen, Vertrauen bei allen Fürsten, – und geht einher
im Kaftan, Käppchen und verfärbten Ziegenbart …

Der Jude Ben Spanier bekam 1933 Berufsverbot, arbeitete als Ben Israel Spanier im Jüdischen Kulturbund und wurde 1942 in das Konzentrationslager Theresienstadt deportiert, wo er starb. In einem ironischen Steckbrief gibt er als seine besonderen Kennzeichen an: »Nase – ungewöhnlich.«

Conrad Veidt (1934) und Jörg Pleva (1984)

Conrad Veidt und Jörg Pleva sind die einzigen Süß-Darsteller, die mit Ferdinand Marian verglichen werden können, weil ihr Spiel kinematographisch aufgezeichnet wurde und jeder Schritt, jede Handbewegung und jeder Blick der Darsteller wiederholbar ist. Conrad Veidt macht aus seinem Süß einen vornehmen Höfling, der mit großen weichen Schritten einen Raum betritt und diesen in Sekundenschnelle zu dem seinen macht. Nichts davon bei Jörg Pleva, der unbemerkt und unscheinbar auftritt und abgeht. Conrad Veidt macht aus Süß einen Sohn, dem seine Mutter ein schutzbedürftiges Kind ist. Er trägt die alte Frau wie einen Säugling auf seinen Armen. Und Conradt Veidt macht aus Süß einen Vater, der ein der Zärtlichkeit bedürftiger Sohn seiner Tochter Naemi ist. Er liegt neben ihr auf dem Waldboden und kuschelt sich an sie. Veidt bekommt für diesen inzestuösen Juden sehr viel Lob. In London heißt es:

Mr. Veidt is, at any rate, invariably magnificent, a mask of cynicism in the grandest possible manner which slowly changes to an even more imposing, and for once genuinely imposing, expression of agony.

Für Jörg Pleva ist Süß ein vorsichtiger Mann. Bei Geschäften. Im Bett. Im Gefängnis. Er schreit, aber nicht wie die geschundene Kreatur. Was immer er tut, er tut es mit Zurückhaltung. Aus Angst etwas falsch zu machen, macht Pleva aus Süß einen Juden ohne Eigenschaften, was den Kritikern nicht entgeht: »Anstoß sollte der Titelheld diesmal nicht erregen, und so mimte ihn Jörg Pleva so blass und blutleer, als habe man ihn gerade zur Ader gelassen.«

Jeder dieser Schauspieler bekam Beifall, aber keiner wurde mit Süß identifiziert, nicht der berühmte Judendarsteller Rudolf Schildkraut, auch nicht Ben Spanier, Maurice Schwartz, Ernst Deutsch, ja nicht einmal das Genie Conrad Veidt. Finkel im britischen Mandatsgebiet Palästina und Ferdinand Marian in Deutschland waren die einzigen Schauspieler, die mit Süß identifiziert wurden. Finkel wurde dafür geehrt, aber die Bühnenrolle starb mit seinem Tod. Marian wurde für seinen Süß geächtet, aber seine Filmrolle lebt weiter und wird von Vorstellung zu Vorstellung reicher und interessanter. Kein Wunder, dass clevere Kinomacher diesen Welterfolg zu imitieren versuchen. Mit dem Nachkriegsstar O. W. Fischer wollte der Produzent Peter Goldbaum den Süß 1958 besetzen. Hans Oppenheimer plante 1965 einen Bestseller mit dem Bond-Regisseur Terence Young, Paul Newman und Romy Schneider. Arthur Brauner dachte Ende der siebziger Jahre an Omar Sharif. Aber diese Ideen scheiterten, und so ist Ferdinand Marian der einzige überzeugende Süß vor und nach Auschwitz, der im 21. Jahrhundert noch weiterlebt, wenn auch nur virtuell.

Ferdinand Heinrich
Johann Haschkowetz,
Künstlername:
Ferdinand Marian
(1902–1946)

Ein liebenswerter Taugenichts

Der Brillantengrund oder Kindheit und Jugend in Wien (1902–1919)

Wer zu Anfang des Jahrhunderts in Österreich zur Welt kam, befand sich auf der Bühne eines Vielvölkerstaates. War seine Muttersprache ungarisch, slawisch oder romanisch, musste er Dienstbote spielen. Denn die Herren sprachen deutsch. Ein solcher Deutschösterreicher ist auch Ferdl. Sein Deutsch kennt nicht das vergessliche Präteritum der Berliner, die jeden Tag dazu bereit sind, ihr gestriges Ich zu verleugnen, um sich voll und ganz in den Dienst eines neuen Abenteurers zu stellen. Ihm ist der Sieg bei Peterwardein (1716) immer noch Gegenwart, ebenso der Verlust Schlesiens (1763), die Niederlage bei Königgrätz (1866), die Ermordung des Judenfreundes und Kronprinzen Rudolf in Mayerling (1889) und die Kaiserin Sissi, die 1898 von einem Italiener mit einer messerscharfen Feile abgestochen worden ist. Für Ferdl ist die Klassenauseinandersetzung zwischen den alten Herren des Bodens und den neuen Herren der Industrie noch Alltag. Sie endet Anfang des Jahrhunderts mit einem Burgfrieden, mit einem Bündnis der beiden Herrenklassen gegen ihre jeweilige Gefolgschaft, die sich ihrer Macht bewusst wird und den politischen Führungsanspruch von Großgrundbesitz und Großkapital ablehnt. Das kleine und mittlere Bürgertum in den deutschen Städten, bisher auf der Seite der liberalen Großbourgeoisie, und die Masse der kleinen und mittleren Bauern in den deutschen Alpenländern, bisher auf der Seite des

Feudaladels, kämpften nun, unterstützt von der sich langsam organisierenden Arbeiterklasse, für eine kleinbürgerliche Demokratie und gegen die großbürgerliche Plutokratie und Feudalherrschaft. Dieser kleinbürgerliche Klassenkampf organisiert sich politisch als Kampf der Deutschnationalen und Christlichsozialen gegen die Liberalen. Auf der ideologischen Ebene ist er Rassenkampf, Kampf zwischen Germanentum und Slawentum und insbesondere Antisemitismus, weil jüdische Kapitalisten einen Teil der österreichischen Großbourgeoisie bilden. Der Wortführer der Alldeutschen will durch Reinheit zur Einheit!

Wo gibt's ein Volk, dem deutschen gleich,
Im Slavenstaate Oesterreich? Wir bleiben Deutsche doch!
Ob auch der Pfaff – der Tschech und Jud'
Nur Gift und Galle spei'n vor Wut;
Alldeutschland hoch! Alldeutschland hoch!

Aber wer zu Anfang des Jahrhunderts zur Welt gekommen ist, für den ist Österreich gleich Wien. Dieses Manhattan des Vielvölkerstaates hat die meisten Juden, die meisten Tschechen und das größte Industrieproletariat. Die roten Wiener arbeiten in schwarzen Drecklöchern, die sich Fabriken nennen. Sie hausen in Zimmer-Küche-Höhlen ohne Gas und Strom, ohne Fließwasser und Aborte, aber voll gestopft mit keifenden Eltern und nach Urin stinkenden Großeltern, debilen Kindern und Enkelkindern, Onkeln und Tanten, Nichten und Neffen, Freunden und Freundinnen. Sie leben von Wasser und Brot, Zucker und Pferdefleisch, Kaffee und Alkohol. Wer in diesen Vierteln zur Welt kommt, ist ein armer Hund und bald ein Gassenkind, weil es für ihn in der Mietskaserne keinen Platz gibt. Sein Zuhause sind die verdreckten Stiegenhäuser, der Gestank der Gänge und Balkone, die verbrunzten Aborte, nach Schimmel riechenden Keller und staubigen Dachböden, die feuchten Hinterhöfe und finsteren Gassen. Ein solcher Wiener lernt sehr schnell, dass er sich nur auf sich verlassen kann. Nicht auf seinen Vater, meist ein Stempelgeher und Saufbruder. Nicht auf die Mutter, eine Analphabetin oder sonstige Null. Nicht auf die Geschwister und Nachbarskinder, mit denen er schweinische Spiele spielt. Da gibt es mehr Watschen und Tetschen als Stückel Brot, mehr Wutausbrüche denn Liebesanfälle; offene Knie, blutig geschlagene Rücken, gebrochene Finger und Stichwunden sind alltägliche Verletzungen. Hass ist das Erste und Einzige, was ein angehender Mensch in diesem Wien zu lernen hat.

Aber weitab von dieser Welt der Gewalt und Brutalität und der schamlosen Ausbeutung wächst Ferdl auf, im Brillantengrund, wo er am 14. August 1902 das Licht einer anderen Welt erblickt, einen Tag vor Mariahimmelfahrt und bei Kaiserwetter. In diesem wegen der Prunksucht seiner neureichen Bewohner so benannten 7. Bezirk – 5 bis 10 Prozent sind jüdisch – besitzen seine Eltern eine beinahe herrschaftliche Wohnung in der Breitegasse 4. Der Vater Ferdinand ist kaiser- und königlicher Hofopernsänger mit dem Beinahestatus eines Hofbeamten. Außerdem Gesangsmeister. Die Frau Mama Magdalena Caroline Gesangsprofessorin. Und die Tante Hansi, die ebenfalls zur Familie gehört, Gesangslehrerin. Damit hat der Ferdl vom ersten Lebenstag an alles. Die Brust seiner Mama, das Zutzlflascherl mit dem um die Jahrhundertwende besten Kindermehl und bald danach halt alles, womit die Speisekarte eines durchschnittlichen Bürgerhaushalts in Österreich aufzuwarten hat: Herrliche Rindssuppen mit Leberknödl, Fritatten, Eingetropftem, Schöberln oder Griesnockerln. Fleischspeisen wie das Naturschnitzerl mit Reis, das Wiener Schnitzerl mit warmem Kartoffelsalat, Tafelspitz mit Spinat und Reis, ein Beuscherl oder saure Nieren. Und natürlich auch Kaiserschmarren und Palatschinken, Topfenstrudel und Krautstrudel. Mein Gott, schmeckt das gut! Und vom ersten Lebenstag an ist der Bub eigentlich schon ein Herr. Zuerst trägt er ja Mädchenkleider, weil die für die Erziehung zur Sauberkeit so praktisch sind. Danach kriegt er den obligatorischen Matrosenanzug, der Stolz jeder Mutter! Und dann den schönen schwarzen Samtanzug mit Van-Dyck-Spitzkragen, den um die Jahrhundertwende feine Knaben tragen. Und danach Lederhosen und einen Janker, wenn es in die Sommerfrische nach Trofaiach in der Obersteiermark geht, die seine zweite Heimat wird.

Der Luftkurort liegt in einem weiten Hochgebirgskessel, der so viel Sonne und Wasser auffängt, dass in ihm alles wie Unkraut wuchert. Die Bewohner leben von der Straße, auf der Erz mitten durch das Tal geschleppt wird und auf der Baroninnen und Exzellenzen von weither zur Sommerfrische anreisen. Sie verwandeln das Stück Dorfstraße zwischen den beiden alten katholischen Kirchen in einen mondänen Korso. Da lustwandeln gute Partien in bodenlangen Sommerkleidern, hofiert von Spekulierern und Spekulanten. In dieser alpenländischen Kulisse verbringt Ferdl die Sommer seiner Kindheit und Jugend, im Kreise der Familie, in einer formidablen Villa, die alles hat, wovon ein Angeber träumt: den schlanken Turm der steirischen Trutzburg, die Loggia des italienischen Landhauses und den Säuleneingang des Wiener Stadtpalais.

Die Künstlerfamilie, in der Ferdl aufwächst, entstand in dem im Vielvölkerstaat üblichen Durcheinander des Geschlechtstriebes: Papa wird im Wald gezeugt. Mama erblüht in der Kaiserstadt. Papa gehört einem Bauern. Mama einem hohen Militärbeamten. Papa kommt aus einer tschechischen Mischpoche und heißt deshalb Haschkowetz. Mama besitzt deutsche Ahnen. Sie ist eine Jerg. Sie kommt 1857, vorschriftsmäßig ein Jahr nach den Flitterwochen der Eltern, zur Welt und ist der Stolz ihres Papas, den Ferdl nicht mehr kennenlernt. Und Mama hat auch eine neun Jahre jüngere Schwester. Diese ist von vornherein weniger wert. Mama und die Tante Hansi wachsen in dem Nobelbezirk Wieden auf, mit Sehenswürdigkeiten wie der Karlskirche, dem Theresianum und dem Schwarzenbergplatz. Und beide werden Operettensängerinnen mit dem im Familientheater vorprogrammierten Erfolg und Mißerfolg. »Ihre Stimme ist stärker als die ihrer Schwester, die zwei Jahre an unserer Bühne gewirkt hat, das Spiel lebendiger.« Aber diese schöne starke Stimme, die Mama steil nach oben zu Ruhm und Ansehen getragen hat, verliert sie bei einer heftigen Erkältung, und so muss sie – 35 Jahre alt – für immer von der Bühne Abschied nehmen. Im Sommer 1896 steht die ehemalige Primadonna mit dem Hofopernsänger für kleine Basspartien in der Herz-Jesu-Kirche in Graz vorm Traualtar und ist versorgt. Im Gegensatz zur Mama ist Papa nie ein Publikumsliebling oder gar eine Berühmtheit gewesen. Er hat immer nur unbedeutende Rollen gesungen. Trotzdem kann er seinem Ferdl ein Vorbild sein. Denn er hat es zu was gebracht. Sein Vater, also Ferdls Großvater, ist noch als uneheliches Kind in Sudomerice, nahe Tabor in Böhmen zur Welt gekommen. Er selbst bereits legal in einer Lichtung im Wienerwald, in dem Wallfahrtsort St. Corona, wo die Türken gehaust haben und wo es der Opa bis zum kaiserlich-königlichen Forstwart gebracht hat, sodass Papa sogar studieren kann. Papa hat eine streng katholische Erziehung bekommen, ist Konviktzögling im Stift Heiligenkreuz, nicht weit weg von Mayerling, studiert am Konservatorium in Wien, ist Chorsänger am kaiserlich-königlichen Hofburgtheater und versucht als I. ser.[iöser] Bass und Bassbariton in Olmütz, Budweis, Augsburg, Köln, Linz, Graz fest ins Geschäft zu kommen, in Wien sogar als Schauspieler und Sänger. Aber ohne längere Verträge. Meist wird Papa engagiert, weil seine musikalische Begabung und sein reiches Repertoire es ihm oft in letzter Stunde ermöglichen, erste Partien zu übernehmen, was ihn möglicherweise auf die Idee gebracht hat, sich einen italienisch klingenden Künstlernamen auszudenken. Jedenfalls nennt Papa sich in Budweis nicht mehr Haschkowetz wie irgendein namenloser Tschech, sondern Marian und singt danach auch immer wieder große Rollen, allerdings mit wechselndem Beifall bei Publikum und Kritikern. Dauerhaften Erfolg hat Papa schließlich doch nur mit kleinen Basspartien, und für solche wird er nach mehrmaligem Probesingen am 1. April 1896 vom kaiser- und königlichen Hofoperntheater in Wien engagiert. Und dorthin darf Ferdl seinen Papa schon sehr früh begleiten. Viele Stunden verbringt der kleine Mann in diesem großen Haus, wo Papa ihm die verschiedenen Bühnen zeigt, den Orchestergraben, die Werkstätten und den Fundus. Und was der Papa nicht erklären kann, wissen die vielen Handwerker, die den aufgeweckten Buben ins Herz schließen. Aber nicht nur sie, sondern auch die Künstler, die vielen schönen Tänzer und Tänzerinnen, Sänger und Sängerinnen, Musiker und Musikerinnen, Souffleure, Korrepetitoren und Inspizienten, Regisseure und Dirigenten, ja selbst die kaiser- und königlichen Direktoren des Hofoperntheaters bemerken den Charme des Knaben, der bald mitbekommt, dass der Herr Direktor Mahler ein besonderer Mensch ist, nämlich Jude! Viele Stunden beobachtet er seinen Vater im Spiegel der Garderobe so genau, dass er bald jede Abweichung und Änderung beim Schminken, Frisieren und Ankleiden monieren kann. Er weiß genau, welche Farben sein Vater für ein junges und welche für ein altes Gesicht benutzt. Er kennt die falschen Bärte und Haare, mit denen sein Vater einen guten oder einen bösen Menschen aus sich macht. Und er weiß sehr bald, wie sich Papa für einen alten Juden schminkt und kleidet. In Hunderten von Proben, Premieren und Abonnementsvorstellungen sitzt, steht oder lümmelt Ferdinand irgendwo im Stehparterre oder im Juchöh, im Orchestergraben, in einer Kulissengasse und verfolgt jeden Schritt seines Vaters, studiert dessen Handbewegungen und Drehungen des Kopfes, merkt sich die Auftritte und Abgänge und hat bald herausgefunden, was bei einem Abonnementspublikum gut ankommt, was bei einer Premiere auf der Bühne los ist und welches Lampenfieber ausbricht, wenn bekannt wird, dass ein Mitglied des Herrscherhauses anwesend ist, der Kronprinz gar oder der Kaiser selbst in der Loge thront. Und im Laufe der Zeit merkt sich Ferdl auch Papas Stichworte. In der romantischen Oper *Der Freischütz* reißt der Jäger heftig den Hirschfänger heraus, stößt ihn in den Totenkopf, er hebt den Hirschfänger mit dem Totenkopf, dreht sich dreimal herum und ruft: »Bei des Zaubrers Hirngebein! Samiel! Samiel! Erschein!« Aus dem Felsen, ganz finster und böse, tritt Papa, ein bisschen ein Jude, und fragt mit tiefer Stimme: »Was rufst du?« Ferdl kann auch einige von Papas kleinen Partien auswendig. Den Wirt in *Manon Lescaut*, der seine hungrigen und durstigen Gäste besänftigen muss. Auswendig den Grafen von Ceprano, der sich gegen Rigoletto verschwört. Ferdl merkt sich natürlich nicht nur Papas Stichworte und Partien, sondern auch die Inhalte von *Rigoletto, Manon Lescaut, Freischütz* und der vielen anderen Opern, in denen Vater immer wieder singt. Unvergesslich ist auch der biblische Joseph, der es in der Fremde zu Wohlstand und Ansehen gebracht hat und trotzdem ein lieber Sohn geblieben ist. Nicht nur, dass er seiner bösen Familie verzeiht, dass sie ihn nach Ägypten verkauft hat, er hilft der Mischpoche in der Not sogar. Sicher unvergesslich Johann von Leyden, der sich als König David ausgibt, weil er so jüdisch aussieht. Begleitet von dem berühmten Krönungsmarsch, soll der falsche Prophet zum König des neuen Zion erhoben werden. Sicher unvergesslich für den Buben *Die Jüdin*, mit der grausamen Verbrennungsszene am Schluss. Während die stolze Jüdin und ihr stolzer Vater, ein Opernshylock, in einen großen Kessel mit siedendem Wasser gestoßen werden, tobt das Orchester und jubelt der Christenchor. »Ja, sterben muss die Judenbrut!« Die Jüdin stirbt für ihren Geliebten, der verheimlicht hat, dass er ein christlicher Reichsfürst ist. Papa Marian singt dessen Vertrauten. »Die Jüdin, die einen Christen liebt, die ihr Herz zu Eigen ihm gibt, büßt in Flammen den Gräuel!«

Und Ferdl merkt bald, dass Papa nicht der Größte auf der Bühne ist. Das sind andere. Sänger, welche die Hauptrollen singen, Dirigenten und Komponisten, mit denen Papa sich aber duzt. So lebt Ferdl das Leben seiner Eltern von Spielzeit zu Spielzeit, unterbrochen von Sommerfrischen in der Obersteiermark, unterbrochen von Schulbesuchen, die eher fad ausgehen, weil das Klassenzimmer mit der Oper gar nicht konkurrieren kann. Am schönsten sind für Ferdl Schulstunden, in den von fernen Ländern die Rede ist. Auswendig merkt er sich die Ländereien, die dem Kaiser gehören und für die er einen Titel besitzt.

Seine kaiserliche und königliche Apostolische Majestät Franz Joseph I. ist von Gottes Gnaden Kaiser von Österreich, König von Ungarn und Böhmen, von Dalmatien, Kroatien, Slavonien, Galizien, Lodomerien und Illyrien; Erzherzog von Österreich; Großherzog von Toscana und Krakau, Herzog von Lothringen, von Salzburg, Steyer, Kärnten, Krain und der Bukowina (...).

Auswendig lernt Ferdl, dass der Kaiser auch König im Morgenlande ist, König von Jerusalem, das vierzig Jahre später Hauptstadt eines Judenstaates werden wird, den sich ein Wiener Kaffeehausliterat ausgedacht hat. Aufsagen können muss Ferdl aber auch, dass Kaiser Franz Joseph außerdem Herzog von Auschwitz ist, vierzig Jahre später ein Synonym für den Massenmord an den europäischen Juden, den zu rechtfertigen sein Süß mithelfen wird.

Der Ausreißer (1919–1922)

Wenn ein Siebzehnjähriger in Ottakring oder Favoriten mit seiner Familie abrechnet, geht das selten ohne Gewalt. Und schnell wird so ein Wilder zum Triebtäter. Entweder besudelt er das reiche Mündel des Hausherrn oder er fesselt seinen geizigen Onkel, um ihm mit dem verweigerten Maria-Theresien-Taler der Familie den Hintern auszukratzen. Er könnte auch die gelähmte Großmutter zum Gehen zwingen oder seiner hochschwangeren Mama so oft in den Bauch treten, dass sie mit einem abortierten Schwesterl liegen bleibt. Aber vielleicht sticht er auch nur dem Papa in den Hals, weil der immer so deppert daher redet. Bei Proleten kommt das schon vor. Ein so leidenschaftlicher wie empfindsamer Halbwüchsiger kann sich die andere Hälfte seines Lebens kaum noch aussuchen. Er hat meist nur die Wahl zwischen der Karriere des heimischen Kriminellen und dem Weg ins Ausland. Der Weg ins Ausland führt schwarz über die grüne Staatsgrenze bei Spielfeld, Tarvis oder über eine Alm in Tirol schnurstracks nach Genua, wo er als Schiffsjunge oder blinder Passagier verkleidet an Bord geht, um in den südamerikanischen Tropen oder im Dschungel eines nordamerikanischen Negerviertels Voodoopriester zu werden und schwarze Messen zu zelebrieren. Die Karriere des professionellen Sexualverbrechers beginnt mit Blutigstechen im Gedränge der Kärntnerstraße, Besudelung von Hostien und der schwarzen Muttergottes im Stephansdom, Leichenschändungen in der Anatomie, Nötigungen und mit ähnlichen grausamen Gewalttätigkeiten und endet nach 1919 nicht am Strick oder unter dem Fallbeil, sondern mit einer Einweisung in die Nervenheilanstalt, Kastration, Umschulung zum Fleischhauer, Schlachthofarbeiter oder mit einer Mitgliedschaft bei den Hakenkreuzlern.

Der siebzehnjährige Ferdl ist auch so ein Ausreißer, als er im Frühjahr 1919 die Eltern heimlich und für lange Zeit verlässt, aber er ist kein Gewaltmensch und Triebtäter. Er hinterlässt keinen grausam verstümmelten Vater, auch keine besudelte Mama, obwohl er gute Gründe dafür hatte, seinen alten Eltern den Mund zu stopfen. Denn es macht ihnen immer wieder Spaß, ihn vor allen

Leuten mit seiner Geburt zu verspotten. Eines Tages habe sich Mama nämlich krank gefühlt und zusammen mit Papa einen befreundeten Arzt aufgesucht, der sie eingehend untersucht und dabei ein leichtes Anschwellen der Brüste und des Bauches bemerkt habe. Seine Diagnose: »Mein lieber Ferdinand, es tut mir aufrichtig leid, dir mitteilen zu müssen, dass deine Frau an Wassersucht leidet!« Die Eltern seien auf das heftigste erschrocken gewesen, aber was bleibt weiter übrig, als den Versuch zu machen, durch harntreibende Mittel eine Besserung des Gesundheitszustandes herbeizuführen. Als aber alle Bemühungen nichts fruchten, schlägt der Hausarzt vor, einen zweiten Mediziner zu Rate zu ziehen, was denn auch geschieht. Papa wartet aufgeregt im Vorzimmer, als er plötzlich hört, wie der Arzt in ein lautes Gelächter ausbricht, in das Mama fröhlich einstimmt. Er ist noch ganz konsterniert über dieses merkwürdige Gebaren, da öffnet der Arzt die Tür, tritt auf Papa zu und beruhigt ihn: »Mein verehrter Kollege hat sich, Gott sei Dank, geirrt, was ja vorkommen kann – Ihre Frau leidet nicht an Wassersucht, sondern sie erwartet ein kräftiges Mädel oder einen strammen Jungen!«

Dass er kein Kind der Liebe ist, sondern für eine Krankheit gehalten wurde, verwirrt Ferdl so sehr, dass er seinen lieben Eltern eine Doppelrolle vorgaukelt. In der einen ist er das liebe Kind, das den Eltern für sein Leben dankbar ist und voll ehrlicher Bewunderung zu ihnen aufschaut, was die alten Trottel natürlich rührt. So viel Sympathie haben die beiden von ihrem Publikum nie bekommen. Die Mutter ist ja eine längst ausrangierte Primadonna und so alt, dass sie Ferdls Großmutter sein könnte. Ebenso der Papa, Sänger für kleine Basspartien, den kein Opernkritiker erwähnt, der aber mit seinen großen Duzfreunden vor dem kleinen Ferdl angibt. Die zweite Rolle, die Ferdl in dem Familientheater spielt, ist der Frechdachs, der ihnen Ärger macht, wo immer er kann. So auch auf einer Sommerfrische in Tirol. Er wohnt mit Mama ohne Papa bei einem Bergbauern, wo es nur Holzhackereintopf gibt, der dem verwöhnten Gaumen vom Brillantengrund natürlich nicht schmeckt. Als er mit Mama eines Mittags draußen vor dem Bauernhof sitzt und auf das Essen wartet, naht die Kellnerin aus dem gegenüberliegenden Gasthof mit einem Tablett und stellt zum größten Erstaunen von

Mama zwei Suppenteller auf den Tisch. »Ja, um Gottes willen – wer hat denn das bestellt?« fragt Mama. »Der Bub da!« erwidert das Mädel. Ferdl ist gerade sechs Jahre alt.

Diese Doppelrolle spielt Ferdl auch außerhalb des Elternhauses weiter und verwendet im Laufe von Kindheit und Jugend bei der Ausgestaltung der beiden Rollen sehr viel Phantasie, mit dem Ergebnis, dass er ein mittelmäßiger Volksschüler und ein mittelmäßiger Realschüler wird. Er soll deshalb einen Beruf erlernen und wechselt mit fünfzehn über in die Höhere Fachschule für Elektrotechnik des Kaiserlich-Königlichen Technologischen Gewerbe-Museums Währing. Dieses Institut verbindet theoretisch-wissenschaftliche Ausbildung mit praktischer Unterweisung in Schulwerkstätten und Laboratorien. Aber auch hier ist Ferdl ein Versager. Er geht morgens von zu Hause weg, aber immer öfter nicht in die Schule nach Währing, sondern in die Donauauen. Er macht Wettfahrten im Ruderboot, schwimmt viel, ist Mitglied eines Fußballklubs und wird immer wieder mit halbwüchsigen Mäderln am wilden Gänsehufl gesehen. Seine schulischen Leistungen sinken rapide. Seine beste Note ist eine Zwei in Unterrichtssprache. In Geographie hat er eine Drei. Auch in Mechanischer und Elektro-Technologie. Vieren in Physik, geometrischem und projektivem Zeichnen, technischem Freihandzeichnen und in den Lehrwerkstätten. Und in Mathematik muss er sogar eine Wiederholungsprüfung machen, weil er hier auf einer Fünf steht. Er schafft es zwar und wird in die IIa versetzt, aber seine Leistungen sinken. Eine Drei minus in Allgemeiner Chemie ist seine beste Note vor Weihnachten 1918. Er hat Vieren in Unterrichtssprache, Geographie und Geschichte, Fachzeichnen, in Mechanischer und Elektro-Technologie und in den Lehrwerkstätten. Zwischen einer Vier und einer Fünf steht er in Mechanik. Und er hat glatte Fünfen in Mathematik und Darstellender Geometrie. Halbjahresnoten bekommt Ferdinand gar nicht mehr. Er wird am 5. Februar 1919 von der Fachschule abgemeldet, weil er verschwunden ist, verschwunden wie die Habsburger-Monarchie, verschwunden wie der junge Kaiser Karl, der nach einer kleinen Episode in Ungarn ins Exil geht auf die wunderschöne Urlaubsinsel Madeira. Jahre später wird Ferdl für eine Kurzbiografie des Universal-Filmlexikons damit prahlen, dass er vom Gymnasium durchgegangen sei. Vier Jahre hindurch sei er verschollen geblieben und habe während dieser Zeit ein abenteuerliches Leben geführt, ganz Südeuropa als Weinarbeiter, Kinobilleteur, Klavierspieler, Jazzbandschläger durchwandert. Danach habe er sich bis nach Hamburg durchgeschlagen, weil er nach Südamerika wollte, was aber nicht klappte, weil er nach Hause musste. Wieder in Wien bei seinen Eltern, habe er die Chauffeurprüfung gemacht und als technischer Zeichner eines Betonbauunternehmens gearbeitet, um dann nach allen Irrwegen beim Theater zu landen.

Dass er in Wirklichkeit über die Nester nicht hinauskam, in denen er mit seinen Eltern auf Sommerfrische war, verdrängt das gespaltene Muttersöhnchen vom Brillantengrund. Und Ferdl vergisst und verdrängt außerdem, dass er kein abenteuerliches Vagabundenleben führte, sondern als Hausdiener in einer kleinen Innsbrucker Gaststätte, einem Tschecherl, gearbeitet hat. Er hat in aller Herrgottsfrüh das Lokal auszukehren, die roten Plüschmöbel und abgeschabten Tische abzuwischen, den Zeitungsständer in Ordnung zu bringen. Er hilft in der Küche beim Abtrocknen des Geschirrs, putzt das Besteck und bekommt dann einen Zettel in die Hand gedrückt, auf dem alle Besorgungen stehen, die er in der Stadt zu erledigen hat. Nach einer Weile darf er zum Hausmusiker aufrücken. Seine Chefin lässt ihm aus dem alten Gehrock ihres Bruders einen Abendanzug nähen, und wenn er auch gewendet werden muss und die Tasche von der linken auf die rechte Brustseite wandert, so ist er doch froh, seinen Garderobenbestand um ein Stück bereichert zu haben. Ein weiches weißes Hemd und eine schwarze Krawatte vervollständigen das Äußere. Am ersten Abend ist er mächtig aufgeregt und spielt im wahrsten Sinne des Wortes im Schweiße seines Angesichts. Greift er – was sehr häufig vorkommt – daneben, so versucht er diese Fehler durch Präludieren zu verdecken; aber nach zwei, drei Tagen hat er sich eingespielt. Die Wirtin hat sich nach langem Überlegen trotz des gutbürgerlichen Charakters ihres Lokals einverstanden erklärt, dass er auf das Klavier einen Teller stellt, der sich im Laufe des Abends mit Geldstücken füllt. So schafft er sich eine gute Einnahme. Denn er ist beliebt bei den weiblichen Gästen. Er schmeichelt ihnen nicht nur mit Operettenschmachtern, sondern macht ihnen auch schöne Augen, um sie zum häufigen Besuch zu ermuntern, ganz im Interesse der Wirtin. Eines Abends entsteht daraus aber eine unangenehme Situation. Ferdl wirft wieder einmal einer Dame kokette Blicke zu. Einmal, zweimal und immer koketter, als sich plötzlich ihr Begleiter erhebt, auf den Klavierspieler zusteuert und ihm eine schmiert. Ferdl spielt den Tango zu Ende, steht ebenfalls auf, geht an den Tisch, verbeugt sich mit einem Pardon vor der Dame, schmiert dem Herrn eine, geht zurück ans Klavier, spielt den Radetzkymarsch und wirft der Dame weiter feurige Blicke zu. Wieder erhebt sich ihr Begleiter, steuert auf Ferdl zu und gibt ihm eine zweite Watschen. Ferdl spielt den Marsch zu Ende, steht auf und erwidert auf die gleiche Weise. Das geht einige Male so hin und her. Die Gäste halten das Watschenduell zunächst für eine komische Einlage und lachen, zunehmend geraten sie aber in Aufregung und gehen. Auch Ferdinand muss gehen, denn mit einem Watschenmann kann die Wirtin nichts anfangen.

Ihn stört das nicht sonderlich. Ferdinand hat schon immer in das Land seiner Sehnsucht reisen wollen. Nun ist Italien nah, jenseits der Alpen. Also, auf geht's! Dass die Italiener gerade dabei sind, Südtirol zu erobern, macht aus ihm keinen Grenzlandkämpfer. Zum ersten Mal reist er fesch ausstaffiert. Er trägt einen graukarierten Anzug mit Büffelhornknöpfen und aufgesteppten Taschen, die Schultern sind wattiert, sodass er wie ein Weltmeister im Schwergewichtsringen aussieht, während die Hosen oben weit beginnen und nach unten zu schmal verlaufen. Dazu kommen ein hellblaues Hemd mit roter Schleife, blaue Socken und Lackhalbschuhe, ein hellgrauer Hut, graue Handschuhe und ein elegantes Köfferchen. Als er nach vier Tagen zurückkommt, ist Ferdl nicht wieder zu erkennen. Seine Hosen haben vier Kanten, vorne, hinten und seitwärts Falten, sind zu kurz, auch die Ärmel sind eingegangen. Die Schuhe sind total verquollen. Er hat sie mit seinem Taschenmesser aufgeschnitten, damit er mit den Füßen überhaupt hineinkommt. Es ist nicht mehr zu erkennen, dass sie einstmals aus Lackleder bestanden haben. Auch der Hut ist völlig verbogen und sitzt ihm tief im Gesicht, obwohl er ihn bereits mit einer Zeitung ausgestopft hat. Der Grund des desolaten Aufzugs: Ferdinand ist zu Fuß über die Alpen gegangen, in Lackschuhen bei Sturm und Regen. Deprimiert kehrt Ferdl heim in seine zweite Heimat, in die Steiermark.

Er bekommt in diesen gefährlichen Wochen und Monaten Arbeit bei der Alpine in Donawitz mit ihren Hochöfen, Eisen- und Stahlwerken. Er hat riesige Haufen von rostigen Rädern, Zäunen, Spiralfedern und anderem Alteisen zu sortieren und zu verladen. In der ersten Zeit reißt er sich die Finger wund und blutig, aber bald bilden sich Schwielen an seinen Händen, sodass sie unempfindlicher werden. Das Angebot, ihn zum Kranführer anzulernen, lehnt er ab und geht. Seine nächste Firma ist eine Salzgroßhandlung in Leoben. Er leitet eine Verkaufsstelle. Die dritte Arbeit, die Ferdl in der Steiermark annimmt, findet er bei einer Hoch- und Tiefbaufirma in Graz. Er hat Baustellen in Jugoslawien zu kontrollieren. Den vierten Posten bekommt er in einer Großgarage in Graz. Es ist eine Chauffeurstelle. Aber bevor er die Wagen fahren darf, muss er sie waschen – mitunter bei 26 Grad Kälte –, das Radwechseln lernen, das Reifenflicken, den Ölwechsel und schließlich auch das Fahren. Nach bestandener Prüfung wird er Beifahrer auf einem Lastwagen, der Holz aus den Bergwäldern abtransportiert. Der fünfte Versuch, aus sich etwas zu machen, ist ein Handelskurs, in dem er Stenographie und Schreibmaschine lernt. Was aber Ferdl vor allem lernt in diesen Jahren, ist der Alltag der steirischen Arbeiter. Er ist mit sozialdemokratischen Eisenarbeitern an den Hochöfen zusammen und in den Walzwerken. Er kennt kommunistische Agitatoren in den großen Forstbetrieben. Er trifft sich mit Russlandheimkehrern nach der Arbeit, beim Gösser und verkehrt auch in deren Familien. Er bewundert den Lebensmut dieser Steirer, aber deren Armut erschreckt ihn so tief, dass er mit ihnen nichts zu tun haben will. Der junge Herr aus dem Brillantengrund beendet seinen Ausflug zu den Ausgebeuteten und Geschundenen.

Ferdl wurde während der ganzen Ausreißerjahre von seinen Eltern gesucht, von der Polizei aber nicht gefunden, weil Ferdl mit dem Künstlernamen seines Vaters unterwegs war: als Ferdinand Marian. Sein erstes Lebenszeichen schickt er aus nächster Nähe, aus Donawitz. Er schreibt seinen Eltern, bittet sie aber, weder auf seine Rückkehr zu bestehen noch ihn zu besuchen. Der Vater antwortet sehr verständnisvoll und erklärt, dass das elterliche Haus jederzeit offen stehe, er solle ruhig selbst entscheiden. Nur eines müsse der Sohn ihm versprechen: keine törichten Schritte mehr zu unternehmen. Ja, und dann kommt es doch recht bald zu einem Wiedersehen mit den Eltern in Graz. Es gestaltet sich rührend. Die Mutter hat Ferdl den schönsten Topfenstrudel gebacken, und als sie gemeinsam bei Tisch sitzen, isst er einen Strudel nach dem anderen, einerseits, um vor lauter Verlegenheit nur nichts sagen zu müssen, und andererseits, weil sie ihm vortrefflich munden. – Ferdl zieht wieder zu seinen Eltern, die seit der Pensionierung des Vaters im Jahre 1921 in Graz wohnen und Gesangsunterricht erteilen. Sie bekommen genügend Schüler, zumal es in diesen nachrevolutionären Jahren viele deklassierte Bürgerkinder gibt, die zur Oper wollen. Denn die Bühne ist nach der psychoanalytischen Couch der einzige Ort, wo sie gegen ihre Klasse rebellieren dürfen: Als Tosca, Fidelio, Troubadour oder Siegfried! Mit richtiger Tonbildung und freier Deklamation! Mit Rezitativ und Arie! Eine Abendvorstellung lang! – Ferdl hat nur Spott für Papas Schüler:

So weit bin ich noch nicht, dass ich den andern Komödie vorspiele! Es liegt mir durchaus nicht, mich über Dinge künstlich aufzuregen, die mich persönlich nichts angehen, das ist kein Beruf!

Vom heißblütigen Araber zum Filmbösewicht mit sex appeal

Syrer in der deutschnationalen Steiermark (1922–1927)

Die Österreichische Revolution im Jahre 1918 hat die Steirer nicht reicher gemacht, sondern nur ärmer. Ihnen wurde Land im Süden geraubt, von den Siegermächten. Und die Vertreibung der Habsburger hat den Steirern auch keinen Frieden gebracht, sondern den offenen Klassenkrieg. An den Wochenenden bekämpfen sich Klerikalfaschisten, deutschnationale Heimatschützer und sozialdemokratische Schutzbündler mit Feiteln, Heugabeln, Schrotflinten, Militärkarabinern und Dynamit auf den Bergen und in den Tälern. Aber sonst ist alles beim Alten geblieben. Das Land der Lederhosen beginnt wie eh und je hoch oben auf dem Dachstein, wo das ewige Eis liegt, das Edelweiß blüht, der Aar noch haust, die Sennerin frohe Jodler singt und der Wildschütz kühn sein Jagdrohr schwingt; es erstreckt sich über Kämme, Kare und Felsenwände, über Halden, Hänge, Latschenfelder und Almen hinunter in die großen Wälder und weiter zu den Weinhügeln im Südwesten und versinkt im Osten in der pannonischen Tiefebene, wo an klaren Tagen der heisere Ruf des Muezzin zu hören ist. Drohend ragt aus der Ebene ein Wall von Trutzburgen auf vulkanischem Gestein, von denen aus Jahrhunderte hindurch dieses kleine Abendland gegen die Anstürme aus dem Morgenland geschützt worden ist.

In dieser Steiermark gondelt und geistert Ferdl hin und her zwischen der Klosterwiesgasse in Graz und der Villa in Trofaiach und beginnt mit Hilfe von Papas Beziehungen zum Grazer Theater halbherzig eine Schauspielerkarriere mit dem Künstlernamen des Vaters, zunächst als Fritz Marian, bald aber als Ferdinand. Als Nachfolger und Erbe von Professor Ferdinand Marian lebt er den Künstleralltag der Eltern weiter, der mit Proben am Vormittag beginnt und mit dem Abschminken in der Garderobe vor Mitternacht endet. Dazwischen Rollenstudium, Sprechproben, Stellproben, Kostümproben, Generalproben und Premieren mit Stücken, in welchen auch schon Vater und Mutter aufgetreten sind, was natürlich Erinnerungen weckt und elterliche Ratschläge zur Folge hat: »Trink, Freund, und liebe; alles andre frisst das Feuer und die Erde!« Der Vater hat diese Sätze 1896 zum ersten Mal gesprochen. Sie gehören dem Mäonios im *Meister von Palmyra*, dem Stück, mit dem Ferdl sein Bühnenleben im Frühjahr 1923 beginnt, inmitten der syrischen Wüste, in den Kulissen einer Oase zur Zeit des vom Christentum abgefallenen Kaisers Julianus. Flammen schlagen aus der christlichen Basilika. Die Heiden proben den Aufstand gegen die Staatsreligion, die Ferdl aber als eifernder Christ verteidigt. Der junge heißblütige Araber stürzt mit den Worten auf die Bühne: »Kirchenschänder ihr, Mordbrenner! Ich, Agrippa, Sohn des Jarchai, im Namen Gottes fordr' euch auf: Ergebt euch!« Aber die Wüstensöhne denken gar nicht daran, sich zu ergeben. Sie ziehen ebenfalls die Schwerter. Es kommt zu einem Klingenwechsel, bei dem Ferdl nach kurzer Zeit zu Boden gehen soll. Aber stattdessen geht seine Neurose mit ihm durch. Jahre später wird der Filmstar mit seiner Heldentat prahlen:

Ich hatte noch nicht die geringste Ahnung, wie solch ein Kampf vor sich zu gehen pflegt, glaubte vielmehr, mich ordentlich ins Zeug legen zu müssen, und da ich ein ziemlich kräftiger Bursche war, schlug ich derart heftig auf meinen Kollegen ein, dass ihm beim ersten Hieb der Helm ins Gesicht rutschte. Beim zweiten Schlag war die Schulterspange seiner Ritterrüstung eingebeult, und beim dritten Hieb fiel ihm beinahe der Schild aus der Hand. »Du Trottel, was schlägst du wie ein Verrückter!« zischte er mir wütend ins Ohr, »das ist doch alles nur Theater!« Da erst mäßigte ich mich und ging endlich zu Boden.

Dass er keinen kräftigen Mann verprügelt hat, sondern eine schwache Frau in einer Hosenrolle, verdrängt das gespaltene Muttersöhnchen vom Brillantengrund. Und Ferdl vergisst und verdrängt außerdem, dass es in diesem Stück um das christliche Ahasver-Motiv geht, und dass er seine erste Unterrichtsstunde in christlichem Antisemitismus bekommen hat.

Ferdl besucht in Graz keine Schauspielschule, sondern kommt voran durch learning by doing, wie es heute im Dummdeutsch heißt. Er steht fast jeden Abend auf der Bühne des alten Jesuitentheaters am Freiheitsplatz oder auf der großen Bühne des Opernhauses am Kaiser-Franz-Joseph-Platz, am Wochenende und an Feiertagen auch in den Nachmittagsvorstellungen. Und er steht auch sehr oft vor dem Mikrofon von Radio Graz. Er spricht und spielt Nebenrollen mit und ohne Satz, oft nicht nur eine Figur, sondern zwei oder drei hintereinander in einer Aufführung oder in einer Sendung, und er übt dabei, sich schnell umzuziehen, umzuschminken und umzudenken. Er muss so viele verschiedene Menschen so oft und so schnell hintereinander nachmachen, dass ihm keine Zeit bleibt, sich restlos in die darzustellende Person zu verwandeln. Dieser rasante Rollenwechsel ist nur mit einer Technik zu leisten, die der Schmierenkomödiant und der Schauspieler des epischen Theaters gemeinsam haben, nämlich mit einer Zitat-Technik, mit der sich Ferdl langsam hochspielt von kleinen zu mittleren und größeren Rollen österreichischer und deutscher Autoren, zu Klassikern der Bühne, nur zu keiner einzigen Rolle von Brecht, der von seinen Schauspielern ja eine ähnliche Verfremdungstechnik verlangte. Das Grazer Stadttheater ist für Ferdl aber nicht nur sein persönliches Labor der Neuen Schauspielkunst, sondern gleichzeitig eine Kaderschmiede für Grenzlandkämpfer, Antikommunisten und Antisemiten. Immer wieder bekommt er kleine Rollen in Stücken, die von deutsch-nationalen Gruppen für ihre Agitation missbraucht werden. In dem Lustspiel *Der Kaufmann von Venedig* (1924/25) spielt Ferdl den schwarzen Freier. Von ihm begeistert, jubelt der Antisemit Papesch:

Köstlich die Freierszenen mit Marian als Prinz von Marokko. (…) Marian sollte man sich einmal an Größerem ausgiebig versuchen lassen. Er hat es bestimmt in sich.

Dagegen kann der linke Kritiker Ernst Fischer nur spotten:

Marian als außerordentlich lustiger Mohrenprinz wusste nicht recht, welcher Dialekt in Marokko gesprochen wird, und so schloss er einen Kompromiss zwischen jüdischer und tschechischer Aussprache.

Und Ferdl spielt auch zwei antisemitische Journalisten. Der eine ist Däne, der andere Ungar. Der Ungar verspottet neureiche Juden, die beim Konfessionswechsel gleichzeitig in den Adelsstand aufsteigen: vom Silberstein zum von Silberberg. Und gleich zweimal steht Ferdl als Grenzlandkämpfer auf der Bühne. Beim ersten Mal (*Die Radkersburger*) ist er ein oststeirischer Mostschädel, der nach durchlebten Nächten den Hofzaun des deutschen Reiches zwischen Mur und Raab von krawotischen Weiberschändern, Räubern des Kömender Aga und wilden Muselmanen eines türkischen Paschas säubert. In Radkersburg schwört er mit dem siegreichen Grenzvolk: »Es soll uns kein Türk und Teufel nie nit reißen aus unserer heiligen deutschen Erde!« Gemeint sind die Windischen, eben die Slowenen auf der anderen Seite der Mur, welche seit 1919 die Grenze ist. Und Ferdls zweiter Grenzlandkämpfer ist ein Grazer Deutschprofessor in den Jahren französischer Besetzung 1816/17, der vor Überfremdung warnt:

Nur niemals vergessen: Deutscher Art und der Heimat getreu bleiben! Lisel, denk' nach, was an Gut, was an Blut uns diese Kriegszeit geraubt hat. (…) Fremder Art sich neigen, zehrt die eigene auf. Ist denn unsere Steiermark so arm an Lied, so arm an Lust, an Brauch und Sitte, dass man sich aus allen Landen den Aufputz des Feiertages erborgen muss?

Und Ferdl lernt in diesem Stück (*Der steirische Hammerherr*) auch das ABC des steirischen Antisemitismus. Schon im ersten Akt ist die Front klar. Auf der einen Seite der deutschsteirische Kleinkapitalist und Hammerherr. Auf der anderen der heimatlose Schacherjude, der Kapital mit Kapital verbandeln will. Aber der Jude kommt mit dem Steirer nicht ins Geschäft, nicht einmal mit dessen Hausmädchen, hinter dem er her ist. Es ohrfeigt ihn, und der Hammerherr wirft den jüdischen Lustgreis bei der Tür hinaus, durch welche der verliebte Deutschlehrer im zweiten Akt natürlich hinein darf. In dieser Rolle erprobt der Schauspielerlehrling Ferdl das erotische Widerspiel von Blut und Boden, von Heimatliebe und Liebe zur Kindsfrau. Denn sein Deutschlehrer ist fünfunddreißig und liebt leidenschaftlich seine achtzehnjährige Schülerin. Ebenso heiß aber auch sein geliebtes Steirerland. Deshalb verlobt er sich in einem feierlichen Schwur mit beiden. Ferdl bekennt, wahrscheinlich im schönsten Salonsteirisch, zu dem ein Sommerfrischler aus dem verhassten Wien fähig war: »Und Deutschland und Österreich, sind Blutsbrüderland, Deutschland und Österreich, drum g'hören sie z'samm.« Autor der beiden Grenzlandstücke ist Joseph Papesch, der in der verlorenen Untersteiermarkt zur Welt gekommen ist und 1938 sofort als Landesrat für Kultur Mitglied der nationalsozialistischen Landesregierung wird, 1940 zum Regierungsdirektor des Reichsstatthalters aufsteigt und einen steirischen Faschismus mit Jodler im Trachtenanzug propagiert. Im Jänner 1941 wird seine schwerbehinderte Tochter von steirischen Euthanasie-Ärzten ermordet, was ihn nicht hindert, seiner antisemitischen und faschistischen Gesinnung treu zu bleiben, auch nach Auschwitz. Die Festaufführung des *Steirischen Hammerherrn* zur 35-Jahr-Feier der Südmark und aus Anlass der Bundestagung des Deutschen Schutzbundes ist ein Höhepunkt der Spielzeit 1923/24, auch für die Journalisten:

Das Haus bot ein Gesellschaftsbild, wie man es in Graz schon lange nicht mehr erlebte. Schon vor Beginn der Vorstellung machte sich in der gegenseitigen herzlichen Begrüßung der alle Ränge füllenden Festteilnehmer die Zusammengehörigkeit Gleichgesinnter fühlbar. Im Verlauf des Spieles gab sich der Einheitsgedanke dieser erlesenen Gesellschaft durch ungezählte Beifallsstürme bei offenem Bilde kund. Werk und Darstellung erweckten eine Begeisterung, die am Schlusse der Vorstellung in der Absingung des vom ganzen Hause angestimmten Schwurliedes ›Deutschland, Deutschland über alles‹ ihren Höchstausdruck fand. (…) Verdienstlich ergänzten den Darstellerkreis Ebbs a.[ls] G.[ast] (Erzherzog Johann), Marian (Dauscher) (…). Unter jubelndem Beifall, in einem Blumenregen, mussten die Hauptdarsteller, der Spielleiter und der Textdichter Dr. Joseph Papesch zahlreichen Hervorrufen Folge leisten. Fürwahr ein Abend, der, belebend und erhebend zugleich, wohl zu den schönsten Erinnerungen zu zählen ist.

Aber dieser Antisemitismus zur Unterhaltung macht aus Ferdl keinen antisemitischen Denunzianten, geschweige denn einen gewalttätigen Judenjäger. Denn er spielt weiterhin Rollen von Autoren, die künftig jüdische oder kommunistische Emigranten sein werden. Von Ernst Fischer verkörpert Ferdl 1927 den Tor in dem Erlöserdrama *Eros*. Fischer war Austromarxist, dann Kommunist und Moskau-Emigrant und 1945 erster Unterrichtsminister in der Zweiten Republik. Und in einem Stück von Rudolf Bernauer macht Ferdl Geschäfte mit einer jüdischen Bordellbesitzerin, die Süß heißt. Und auch die Grenzlandkämpferrollen, für die er sehr viel Lob bekommen hat, animieren Ferdl nicht, Heldendarsteller zu werden, ganz im Gegenteil, die ängstlichen Menschen scheinen ihm besser zu liegen, die schlauen Dorftrottel, die Gauner mit Herz, die Angeber, Maulhelden und feigen Mörder. Von ihnen lernt Ferdl, Gewalt anzuwenden, so von einem jungen Wilderer, einen Förster zu erstechen. Wie man einen Lustmord begeht, beobachtet Ferdl als japanischer Arzt, der einen Sadisten zu decken hat: »Sie ist erstickt – sogleich erstickt. Der eine Griff genügte.« Und dass im Orient selbst schöne Frauen nichts wert sind, lernt Ferdl bei seinem Knecht eines Heidenkönigs. Er darf eine schöne junge Sklavin dem nächstbesten Mann, der sie begehrt, in die Arme stoßen: »Da … mach schnell … Ich halte indessen Wache … Nicht einmal schreien kann sie … denn sie ist stumm.« Am erfolgreichsten ist Ferdl freilich mit seinem Schmiedemeister, der sich aus Geschlechtshunger seiner Frau unterwirft. Mit ihm verabschiedet sich Ferdl am Samstag, dem 9. Juli 1927, von Graz, wo im Hochsommer das mediterrane Flair vergessen lässt, dass die Stadt immer noch ein Altersheim für k. u. k. Beamte ist. Ferdl bekommt viel Beifall. Aber der Blütenregen, der auf die Bühne fällt, und die Blumenständer, die aufgefahren werden, gelten nicht ihm, sondern einer älteren Kollegin, die vor sechzehn Jahren als eckige Balletteuse angefangen hat und nun als Charakterdarstellerin und Komikerin Graz verlässt. Dass eine beim Publikum beliebte Schauspielerin ihren Abschied mit einem jüngeren Kollegen teilt, ist uneigennützig, aber sicher nicht überraschend für Ferdl, der sich gerne bemuttern lässt. Das aber weiß der Kritiker der *Tagespost* am Montag sicher nicht, weshalb er sich mit der Metapher eines Kameraden der Berge von Ferdl verabschiedet:

Seine kraftvollen Männergestalten haben ihn den Theaterbesuchern lieb und wert gemacht. Auch für ihn bedeutet Graz einen Anstieg. Nun kann der Aufstieg folgen. Auch ihn wird man missen.

Damit geht eine Lehrzeit zu Ende, in der er wenig verdient, aber viel gelernt, und in der er viele Freunde gewonnen hat, in und außerhalb des Theaters. Von ihnen verabschiedet er sich jetzt, von der Agramer Grete und der Bürgermeisterstochter in der Opernhausloge, der er schöne Augen von der Bühne aus machte. Und damit geht auch die Zeit in Trofaiach zu Ende, wo er ebenfalls Freunde und Freundinnen hat. Mit ihnen verbrachte er viel Zeit im Schwimmbad und im Gasthof Rottenmann. Denn wo und wann immer die Stimmung auf Null stand, mit dem Ferdl gab es im Handumdrehen eine Hetz. Mit Witzen und lustigen Geschichten kann er eine Trauergemeinde zum Totlachen bringen.

Eine solche ist auch die Geschichte vom Nachttopf. Sie beginnt nach einem Abend mit einigen Vierterln Schilcher und einigen Obstlern im Gasthof Rottenmann. Zu Haus angekommen, muss Ferdl so eilig wiescherln, dass er den Weg bis zum Abort nicht riskieren will und holt sich deshalb den Topf aus dem Nachtkästchen. Er uriniert hinein, wird nass auf den Füßen, probiert es noch einmal, wird wieder nass, zielt genauer, wird waschelnass auf den Füßen, was ihn so entsetzt, dass er das ganze Haus aufweckt und um Hilfe ruft: »Papa, Papa, Papa, Hilfe, ich bin verrückt geworden!« Der Vater wird munter und rennt entsetzt ins Zimmer. »Ja, Ferdinand, was hast du denn?« – »Papa, schau her, ich wiescherl mitten in den Nachttopf hinein und kriege dauernd nasse Füße.« Der alte Mann im Nachthemd betrachtet voll Stolz und Vergnügen den vollen, festen Strahl seines Sohnes. Er antwortet nicht gleich. Erst als bei Ferdl kein Wasser mehr kommt, beruhigt er seinen Sohn: »Ferdinand, das ist nicht der Nachttopf. Das ist der Lampenschirm. Du hast sie verwechselt, weil beide aus Porzellan sind.«

Und Ferdl hat auch viel gesungen, Wiener Lieder und Schnaderhüpferln, mit der dem Steirer eigenen Unbekümmerheit und Lustigkeit. »Mit trink ma noch ein Flascherl, trink ma noch ein Flascherl, haben kein Geld, kein Geld im Tascherl!« Mit Mädchen, die weiße Strümpf anhaben, die sie nicht waschen müssen, weil sie sie gleich ansoachen, anwiescherln und gleich beim Urinieren reinigen. Und mit viel Gelächter wird das Ross besungen, das im Graben verreckt und in dessen Hinterteil die Trofaiacher Mädchen hineinschmecken.

Am 25. August 1927 verlässt Ferdl das schöne Steirerland für immer, für immer damit auch die leidenschaftlichen Klassenauseinandersetzungen, die wieder einmal einen blutigen Höhepunkt erreichten. Im Juli 1927 eskalierte ein Protest gegen den Freispruch von Arbeitermördern. »Aber auch diesmal,« berichtet der steirische *Arbeiterwille* mit der von Karl Kraus so geliebten verkitschten Bildlichkeit,

auch diesmal wäre die Demonstration der Wiener Arbeiter eine friedliche, machtvolle Kundgebung geblieben, wenn nicht die Polizeibestie die vollkommen unbewaffneten Menschen mit Säbelhieben, Revolverschüssen, mit wilder Reiterei und einem sadistischen Massaker empfangen hätte. Nun erst bäumte sich die Wut der Unbewaffneten auf und schlug zurück und da die Polizei, in einem immer schlimmeren Blutrausch versinkend, viehisch weiterschoss und säbelte, wurde Wien zum Blutbad. Nun liegen viele tote Arbeiter, erschlagene Polizisten in den Straßen dieser schönen Stadt, Hunderte von Verwundeten wälzen sich in den Spitälern in ihren Schmerzen und viele werden noch den tödlichen Verletzungen zum Opfer fallen. Entsetzliches Weh ist über Tausende von Menschen gekommen, Trauer, Verbitterung und wilder Schmerz lodern aus den dampfenden Blutlachen der Straßen.

Ahasver im besetzten Rheinland (1927–1931)

Ein Steirerbub in Lederhosen und mit weißen Kniestrümpfen, der 1927 zum ersten Mal in seinem Leben an den Rhein kommt, weiß natürlich längst, dass dieser Fluss Deutschlands Strom ist, aber niemals Deutschlands Grenze sein darf. Ein solcher steirischer Grenzlandkämpfer, der sich zum ersten Mal im Altreich aufhält, berichtet seinen Landsleuten von den Gräueln der Fremdherrschaft im besetzten Rheinland, von vergewaltigten deutschen Frauen, abgeschlachteten Männern, aber auch vom Ruf, der durch das ganze Vaterland brause wie Donnerhall, wie Schwertgeklirr und Wogenprall. Fest stehe und treu die Wacht am Rhein, man wolle Mann für Mann das Eisen röten, mit Franzmanns Blut. Eine solche treudeutsche Gesinnung verraten nur die Ansichtskarten, die Ferdl und sein Freund von unterwegs kaufen und nach Trofaiach und Graz schicken. Sie zeigen ein Rathaus und das Einheitsdenkmal. Europäisch dagegen ist Ferdls Reisekleidung. Er steckt in englischen Knickerbockern und schützt mit einer französischen Pullmanmütze seinen Kopf, der eh nur Saufereien und seine Pupperlhutschn im Sinn hat, sein Moperl, sein Motorrad. Und die erste Figur, mit der Ferdl sich den Rheinländern auf der Bühne in Trier vorstellt, hat auch nichts von einem steirischen Grenzlandkämpfer, sondern erinnert an einen balkanesischen Schweinebaron und Mann der angenehmen Sittenlosigkeit. Ferdl ist elegant gekleidet, mal im Smoking, mal im Frack. Er spielt einen erfolgreichen Librettisten, der einem jungen Bräutigam einredet, Ohrenzeuge einer Textprobe und nicht eines Treuebruchs seiner Braut im Nebenzimmer zu sein. Dieser Zuhälter in der Komödie *Spiel im Schloß* von Franz Molnar ist eine Paraderolle für Ferdl. Das Premierenpublikum ist begeistert. Es gibt Blumen und viel Beifall, nicht erst am Schluss, schon nach dem ersten und zweiten Akt. Marians Spiel wird von der Provinzpresse gelobt. Trotz des Erfolges wird das Stück nach der zweiten Aufführung abgesetzt. Nicht, weil die Premiere schlecht besucht gewesen ist, sondern weil den katholischen Priestern die Moral des künftigen jüdischen Emigranten Molnar nicht passt:

Im ersten Akt wird mit Dingen und mit moralischen Auffassungen gespielt, die direkt peinlich berühren und die an Deutlichkeit nicht zu wünschen übrig lassen. Eine Schlafzimmerszene – hinter der Wand allerdings – verwegenster Art, die vielleicht gerade dadurch in ihrer Wirkung erhöht werden sollte, dass sie eben hinter die Wand verlegt wurde. Das Schlimme ist, dass auch die Lösung, so routiniert und äußerlich komisch sie ist, nicht über das Spiel hinwegtäuscht, das hier mit Liebe, Treue und bräutlicher Reinheit getrieben wird und dass letzten Endes der Betrug an dem reinen Toren seine Sanktion erhält (…). Für die Jugend jedenfalls eine Kost vor der man abraten muss, dass sie sie kennen lerne.

An Ferdls Leben ändert das Rheinland nichts. Er interessiert sich weiterhin nur für Motorradfahren, Wirtshausgehen und Frauen, die ihm Geld leihen, wie die Trofaiacherin Gerta, die er in Amsterdam besucht. Und er steht in Stücken auf der Bühne, die er schon in Graz gespielt hat. Und wie in Graz lernt er viele neue Rollen, von denen er zwei Drittel gleich wieder vergessen kann. Mitnehmen kann er nur seinen Tellheim, seinen Kompanieführer Stanhope und seinen Räuberhauptmann Karl Moor, der in der großen Waldszene damit prahlt, einem bösen Finanzienrat einen Ring vom Finger gezogen zu haben: »Diesen Demant zog ich einem Finanzrath ab, der Ehrenstellen und Ämter an die Meistbietenden verkaufte und den trauernden Patrioten von seiner Thüre stieß.« Gemeint ist Joseph Süß Oppenheimer, den Ferdl bald selbst verkörpern wird. Und wie in Graz tritt Ferdl auch im Rheinland in Stücken auf, mit denen Christen, Juden und Antisemiten in die Theater gelockt und unterhalten werden sollen. Meist sind es kleine Rollen wie der Abgeordnete Jaurès, der in der antisemitischen Dreyfus-Affäre gegen den Einsatz von Militär protestiert. In dem Lustspiel *Der Kaufmann von Venedig* bekommt er Beifall für den Christen, dessen Lotterleben das Unheil in Gang setzt. Er wird als Gegenspieler des Juden gesehen. In dem Schwank *Hülla di Bulla* spielt er einen schönen König aus dem Morgenlande, der nach Berlin kommt, um einem jüdischen Bankier die Freundin auszuspannen. In der Tragödie *Judith* dient er den Moabitern. Und im *Hauptmann von Köpenick* macht Ferdl aus dem Uniformschneider in Potsdam eine Charaktermischung aus preußischem Spießer-Patrioten und Händler mit Rassemerkmalen und jüdelt so hervorragend, dass alle ihre Freude haben. Zionist ist sein Barrabas, ein moderner Jude, der für die Ankunft des Gottes Israels und für die Endschlacht kämpft, für Judas und gegen den »Widersacher« Jesus, gegen die Christin Maria: »Tötet sie.« Und kleine Rollen spielt Ferdl auch in den Possen *Robert und Bertram* und *Die Fünf Frankfurter*, die 1940 antisemitisch verfilmt werden, aber keine Konkurrenz zu seinem *Süß* sind. Eine Einübung in den katholischen Antisemitismus ist vor allem eine Rolle, die Ferdl in Trier spielt: die des Ahasver. Auf diesem Juden lastet bekanntlich ein christlicher Fluch. Er muss bis zum Ende aller Tage ruhelos durch die Welt irren, ohne sterben zu können, weil er unserem Heiland bei dessen Schmerzensgang auf den Kalvarienberg das Ausruhen auf der Schwelle seines Hauses verweigert hat. Ferdl zieht für diesen bösen Juden keinen orientalischen Kaftan an, sondern spielt ihn in Frack und Pelzmantel. Denn sein Ewiger Jude ist ein moderner Zerrissener, der mit Glücksspiel und Raubmorden an der Côte d'Azur aufsteigt zum Petroleummagnaten in Manhattan. Auf dem Höhepunkt seiner Kapitalistenkarriere aber rührt das Elend der Ausgebeuteten den reichen Juden so sehr, dass er seine eigene Fabrik zerstört und als jüdisch-bolschewistischer Arbeiterführer für die Weltrevolution wütet, allerdings ebenfalls ohne Erfolg. Die Welturaufführung dieser antikapitalistischen wie antibolschewistischen Ahasver-Version am 27. Januar 1928 ist ausverkauft. Die Schauspieler müssen sich mehrere Male zeigen und verbeugen, dabei schleppt Ferdl immer wieder ein unglaublich dickes Weibskind vor den Vorhang, eine stadtbekannte Lesbierin, SPD-Funktionärin, Journalistin und Fabrikantentochter: Fräulein Dr. Gertrud L. Schloss, Jüdin, die von den Nazis später nach Lodz deportiert und im Frühjahr 1942 im Konzentrationslager Kulmhof ermordet wird. Anders als beim Publikum kommt Ferdl mit seinem Ahasver bei den Kritikern gar nicht gut an. Nur der liberale Peter Koch ist begeistert:

Verdient um die durchaus beachtenswerte Schöpfung machten sich vor allem Ferdinand Marian als hervorragender Vertreter des Ahasverus, der bei aller Schärfe seiner Charakterdeutung ein menschlich warmes Seelengemälde von Zerrissenheit und jachem Irren, von jauchzendem Überschwang und trostlosem Pessimismus schuf.

Und wie in Graz spielt er in Stücken, mit denen deutschnationales Publikum bedient werden soll. An die Sudetendeutschen erinnert sein *Ackermann aus Böhmen*, gegen den Erbfeind im Westen des Reiches hetzt sein rheinischer *Schinderhannes*, bei dem Ferdl seine steirischen Erfahrungen mit Reichsfeinden im Osten austoben darf. Sein Hauptmann ist nämlich nicht nur Räuber, sondern auch nationaler Rächer, der sich mit den Soldaten Napoleons schlägt:

Er muss an erster Stelle genannt werden, weil er den Schinderhannes zu einer Persönlichkeit voll Kraft und Feuer und zu menschlicher Größe erhob. Auch die lyrisch sentimentalen Züge dieses Schinderhannes wusste Marian feinempfindend zu treffen. Die Liebesszene im zweiten Akt gestaltete er mit poetischem Reiz. Sonst herrschte er wie ein König, liebte wie ein treuer Sohn oder Gatte und starb büßendverstehend.

Ein Hohelied auf eine rechtsradikale Terrorgruppe ist das Zeitstück *Sektion Rahnstetten*. Die Fanatiker wollen einen Minister ermorden. »An den Galgen mit allen Juden und Verrätern!« »Tausend Erfüllungsschweine und Judenhunde an die Wand und Deutschland kriegt ein anderes Gesicht – und stinkt nicht mehr – !« Der deutsche Minister, der ermordet werden sollte, ist nicht irgendwer, sondern Stresemann, und Ferdl sein besorgter Regierungsrat. »Exzellenz wollen das Schicksal ew. Exzellenz Amtsvorgänger Rathenau bedenken.« Rathenau ist übrigens auch Feuchtwangers Vorbild für dessen Jud-Süß-Stoff. Der Beifall, den die jungen Nazis bekommen, ist ungewöhnlich. Er setzt schon nach dem ersten Bild ein und steigert sich am Ende zu einer begeisterten Ovation für die Schauspieler und für den Autor Curt Corrinth, der im Dritten Reich recht erfolgreich sein wird. Ein Riesenerfolg in Aachen ist auch Shaws *Kaiser von Amerika*, ein Loblied auf die Diktatur und eine Verspottung der parlamentarischen Demokratie. Publikum und Kritik sind von Ferdls Kaiser begeistert:

Ferdinand Marian wusste aus dieser Rolle selbst einen Shaw zu machen, seine überlegene kühle Ruhe und sein eleganter Witz tragen über das randalierende Ministerkollegium den Sieg davon.

Schlicht und liebenswürdig setzt Ferdinand Marian seinen König Magnus ein, oder besser gesagt, neben diesem ›Unflat der politischen Arena‹. Er ist dieser vertrottelten Gesellschaft so turmhoch überlegen, dass er sie immer wieder mit den eigenen Waffen schlagen kann. Dass er es auch in den aufreizendsten Situationen stets mit Grazie fertig bringt, ist das Rühmenswerte an dem klar erdachten und kultivierten Spiel dieses Künstlers.

[Er umgab den König mit einer Würde,] die auch ohne Hermelin und Zepter majestätisch wirkte.

Ferdinand Marian wusste aus dieser Rolle selbst einen Shaw zu machen (…).

Neu im Rheinland ist für Ferdl, dass er in diesen vier Spielzeiten auf sechs verschiedenen Bühnen steht, in Trier, Mönchengladbach, Rheydt, Odenkirchen, Viersen und in Aachen. Das Publikum dieser sechs Theater könnte verschiedener nicht sein, Trier und Aachen sind alte Universitätsstädte, Arbeiterstädte die anderen. Außerdem ist Ferdl zu selten in einem Theater, um eine Beziehung zum Publikum aufbauen zu können. Selbst die Kritiker merken sich seinen Namen nicht. Und so nimmt es nicht wunder, dass er mit derselben Rolle in der Arbeiterstadt Mönchengladbach anders ankommt als in der Reichsstadt Aachen. Zwiespältig aufgenommen in Aachen wird sein in Gladbach-Rheydt so erfolgreicher Colin (*Die heilige Flamme*). Ähnlich ergeht es Ferdl mit seinem armen, aber netten und naiven jungen Wiener in *Grand Hotel*. Er erobert sich die Herzen der Mönchengladbacher. Ein Kritiker jubelt:

Wenn die berühmte ›auf den Leib geschriebene Rolle‹ noch existiert, dann ist es die des Fritz Ebner und Ferdinand Marian ist der Beschriebene. Einen »netten, lieben Jungen« nennt ihn die Frau, er selbst schwärmt von fröhlich-verliebtem Studententum, von rechtem Burschen-Wagemut. Marian hat alles, was die Rolle von ihm verlangt; er ist der jungenhafte Schwärmer und Draufgänger, ein lieber, frecher Kerl, der den Humor nie verliert, voll Temperament und Laune, natürlich und frisch, »entzückend leichtsinnig«, unter Tränen lachend, bis über die Ohren verliebt in die Dame von (Halb-) Welt.

Aber solches Schmierentheater hat in Aachen nur ein begrenztes Publikum. Da gibt es Leute, die seinen aus Gladbach-Rheydt mitgebrachten Fritz Ebner (*Grand Hotel*) langweilig und dumm finden: »Herr Marian (…) verwechselte mehrfach frische Jungenhaftigkeit mit Radau und Vergröberung«. Ähnlich ergeht es Ferdl mit seinem österreichischen Autohändler Frohner, der in Wien einen US-Konzern vertritt. Er spielt ihn in der Maske des amerikanischen Stummfilmkomikers Harold Lloyd, was selbst dem letzten Gladbacher noch gefällt, weil der ja lieber ins Kino geht als ins Theater:

Wie Ferdinand Marian solche von Hunden gehetzte, brave und liebe Kerle, wie der Paul Frohner einer ist, zu meistern versteht, ist hier oft genug betont worden; wenn es sich gar noch um einen Wiener handelt, muss etwas Ganzes gelingen.

Eine Bombenrolle also in Gladbach. Nicht in Aachen. Er bekommt da mehr Mitgefühl für den Künstler, der solchen Schrott spielen muss. »Auch Ferdinand Marian rettete immer wieder (als Ehemann) die kitschige Situation.« Und:

Ferdinand Marian hatte Mühe, den aus Trottelhaftigkeit, Nervosität und Aufregung zusammengesetzten Paul Frohner, der immer wieder vergebens sein Diktat anzubringen versucht, so auf die Beine zu stellen, dass er einigermaßen glaubhaft wirkte. Es gelang unter einem ziemlichen Aufwand darstellerischer Mittel.

Neu im Rheinland für Ferdl ist auch, dass er, der in Graz Ausländer und Fremde sehr oft gespielt hat, nun im Rheinland selbst ein Fremder ist, ein Ausländer. Er hat einen tschechischen Familiennamen, Haschkowetz, einen italienisch klingenden Künstlernamen, Marian, und einen österreichischen Pass. Er ist Wiener, der anders spricht und eine andere Wesensart besitzt. Schon bei seinen ersten Rollen in Trier wird ihm klar gemacht, dass er nun in Deutschland ist und gefälligst deutsch sprechen soll. Über seinen bulgarischen Major Sergius Saranoff schreibt der grenzlanddeutsche Provinzler: »Ferdinand Marian, nicht ganz befriedigend (...), muss sich sprachlich vor Wiener Anklängen hüten.« Ja, er wird sogar für einen Juden gehalten und steht deshalb auf einer Boykottliste des *Westdeutschen Grenzblattes*, mit der Nazis gegen das Aachener Theater hetzen, das »Juden beschäftigt, und zwar fast nur in leitenden oder gehobenen Stellungen«. Gelobt dagegen wird Ferdl, wenn er Österreicher spielt, dann wird die Echtheit hervorgehoben, die Authentizität. Der Kritiker kniet förmlich nieder vor seinem österreichischen Kaiser in der Operette *Försterchristel*, so majestätisch redet Ferdl für ihn. Es war »mit die beste Leistung des Abends«. Und der Tonfall seines Tennischampions ist es, der dem

Kritiker in Gladbach vor allem auffällt, und nicht, dass ein siebenundzwanzigjähriger Sportler eine knabenhafte Minderjährige verführt. »Den feschen jungen Mann mit wienerischem Tonfall, der es mit Hello wagen will, spielte Ferdinand Marian.« Lob erntet Ferdl auch für die angebliche Stammesechtheit seines kleinen Räubers im *Nachfolgespiel Christi*, dessen jüdische Räuberbraut sich taufen lässt von einem steirischen Schlossherrn, der sich für Christus hält: »Den Gegenspieler des Schlossherrn, den ›bayrischen Thomerl‹ gab Ferdinand Marian als einen wüsten und saftigen Burschen, stammesecht im Dialekt.« Und gelobt wird auch sein Franz, der wienerische Charme und die Feschheit an ihm: »Im Schatten und in den Fußstapfen des Vaters wandelte echt wienerisch scharmant und fesch Ferdinand Marians liebenswürdiger Franzl.« Aber was sollen Leute verstehen, die lieber ins Kino und zu Borussia Mönchengladbach gehen, die in die Kaiser-Friedrich-Halle nur kommen, wenn es Schmiere gibt. Ferdl genügt ein einziger Auftritt in *Wiener Blut*, um einen Sonderapplaus auf offener Szene zu bekommen und als der Mann gefeiert zu werden,

der als Fiakerkutscher eine so bezwingend echte, saftige Type hinzusetzen wusste, dass seine kurze, aber prima Szene der Clou des Abends wurde. So macht's halt nur ein echter Wiener, schon die Maske war eine Sache für sich.

Neu im Rheinland für Ferdl ist auch, dass er zum ersten Mal eine Preußin liebt, eine Kollegin, Ruth von Cervony, die wild entschlossen ist, ihm sein Österreichisch auszutreiben und den ganzen Mann in einen Deutschen umzumontieren, ihn zu assimilieren. Die Deutschlehrerin wettet sogar mit dem Intendanten in Mönchengladbach, dass ihr das bis zur Premiere von *Karl und Anna* gelingt. Und sie gewinnt, denn sie paukt mit Ferdl nicht nur Bühnendeutsch, sondern probt mit ihm auch die Rolle des deutschen Kriegsgefangenen, der seine sexuellen Phantasien in die Tat umsetzt, was aus der Lehrerin und dem Schüler ein Paar macht, das zusammen 1931 das Rheinland verlässt. Ferdl verabschiedet sich in Aachen mit einer Paraderolle: einem Franzosen, der sich wie ein Jude seiner viel zu langen Nase schämt, mit Cyrano, dem »Herkules« von Bergerac, Ritter und Dichter und ein Bruder des Don Quijote. Seine Heldentaten begeistern die Gascogner. Aber niemand ahnt, geschweige denn weiß, dass der raubeinige Patron ein ganz armer Hund ist, der sich in seiner selbstlosen Liebe zu dem schönen Fräulein Roxane zerquält und schließlich daran stirbt. Die Kritiker finden Ferdls Langnase umwerfend:

In Deutschland haben Kainz und Krauß, um nur zwei Namen zu nennen, Unvergleichliches in der Rolle geleistet. Vorgestern spielte sie Ferdinand Marian, der die tragischen und komischen Elemente in kluger Mischung miteinander zu verbinden wusste und dadurch über alle Säbelrasselei hinaus der Gestalt einen menschlich ansprechenden Ton zu geben wusste. Sein ritterlicher und aufopfernder Cyrano hatte Blut und Fülle und auch genug Esprit, um die Perlenkette der mehr oder minder geistreichen Worte wirksam abrollen zu lassen. (…) Ferdinand Marian (…) war bei so offensichtlich prächtiger Spiellaune, dass wir gerade bei dieser Aufführung seinen Weggang von Aachen umso mehr bedauern müssen. (…) In dieser Gestalt hat sich der (…) Künstler ein gutes Monument gesetzt.

Lustmörder und Liebhaber in den Theatermetropolen des Altreiches (1931–1936)

Nach dem Idiotismus der Provinz endlich wieder der Luxus einer Millionenstadt, einer Metropole, einer Weltstadt! Freilich: Hamburg ist nicht Wien. Das alte Stadttheater ist nicht die Hofoper, das Schauspielhaus nicht im mindesten die Burg und das Thalia-Theater nicht das Theater in der Josephstadt. Auch das Atlantic, es ist kein Hotel Sacher. St. Pauli hat keine Ähnlichkeit mit dem Prater. Ja, und so etwas wie den Kaiser hat es in der Republik von Kaufleuten und Kapitänen sowieso nie gegeben. Trotzdem residieren in Hamburg noch genügend reiche Verschwender, die ihr Geld für Liebe und Luxus ausgeben, was die Millionenstadt zu einer Unterhaltungsmetropole rund um die Uhr macht und Ferdl das Gefühl gibt, zu Hause zu sein im Brillantengrund. Seine Pension ist zwar klein, liegt aber im Zentrum und ist durch einen Park und das Ufer der Außenalster herrschaftlich vom Großstadtwirbel abgeschirmt. Über ihm wohnt ein junger Landsmann: ein Tscheche, Hanuš Burger, der Enkel eines Schammes, eines Synagogendieners, der alten Klaus-Synagoge in Prag. Unter ihm wohnt ebenfalls ein Landsmann: der Wiener Albin Skoda mit einem ehrgeizigen Eheweib, das seinen schönen Buben ständig antreibt. Und mit Ferdl im zweiten Stock wohnt die schöne Ruth von Cervony so eng zusammen, dass nur noch von den Marians da oben die Rede ist. Sie sind alle Kollegen vom Schauspielhaus oder vom Thalia-Theater. Befreundet sind die Marians aber nur mit dem jungen Hanuš, dem sie sogar zu einer Liebesnacht mit seiner aus Berlin angereisten Freundin verhelfen, was im Haus der sittenstrengen Pensionsmutter Görres nur mit Hilfe einer Komödie gelingt. Ruth und Hanuš sind außerdem Mitglieder einer Agitprop-Truppe, der auch Axel von Ambesser, Edmund von der Meden und Gerhard Hinze, der Kopf der Gruppe, angehören. Insgesamt sind sie zwanzig Kollegen aus verschiedenen Theatern und nennen sich »Kollektiv Hamburger Schauspieler«. Premiere hat ihre erste Revue an einem strahlenden Sonntagvormittag im Mai in der Volksoper. Am nächsten Morgen schreibt Friedrich Kobbe in den erzkonservativen *Hamburger Nachrichten*:

Ich hoffe, dass sich die jungen Leute, die da auf der Bühne standen, umtost vom Beifall ihres Publikums, klar darüber sind, dass sie sich kompromisslos als Kommunisten deklariert haben.

Nicht die Marians! Denn lange vor der Premiere hat Ferdl seine Ruth dazu überredet, aus dieser Agitprop-Produktion gegen die Faschisten auszusteigen. Erstens sei das sowieso alles Blödsinn, was sie da singen und von sich geben, und zweitens, und das sei halt viel wichtiger, habe ein Schauspieler sich aus dem Politischen herauszuhalten, was aber den unpolitischen Ferdl nicht hindert, vorzugsweise von künftigen Emigranten zu lernen. Ein solcher ist der Schauspieler und Regisseur Hans Wengraf, der Ferdl in einer *Anatol*-Inszenierung für den gerade verstorbenen Arthur Schnitzler so viel Spielraum lässt, dass Ferdls Max beim Publikum besser abschneidet als Wengraf mit seinem Anatol. Max werde mit einer Sicherheit des Wortes gegeben, »die alle kleinen Pointen – große gibt es nicht – zu füllen weiß.« Ebenfalls ein großer jüdischer Landsmann ist Arnold Marle. Er stammt nicht aus Wien, sondern aus dem Prag der k. u. k. Monarchie. Ferdls erster Eindruck von Marle wird durch den *Jud Süß* von Paul Kornfeld bestimmt, den Marle in Hamburg spielt, nach der Berliner Uraufführung mit Ernst Deutsch, einer Berühmtheit, mit der Ferdl in Hamburg ebenfalls auf der Bühne steht, in dem Gastspiel *Die Gefangene*. Ein genialer Theatermann ist auch Joseph Glücksmann. Er inszeniert ein Medienereignis nach dem anderen in der Hansestadt. Das größte und künstlerisch anspruchsvollste ist das Gastspiel Fritz Kortners mit Zar Paul I. in dem Drama *Der Patriot* von Alfred Neumann. Ferdl spielt dessen Diener und erwürgt Kortner mit einer gelben Offiziersschärpe auf offener Bühne. Und das nicht einmal, sondern mindestens zehnmal in Hamburg und auch auf einer Tournee in Stockholm. Wichtig für ihn in Hamburg ist auch der Regisseur Friedrich Lobe. Mit einem arbeitslosen Naturburschen, den er für Lobe in dem rheinischen Volksstück *Die Rosenbraut* spielt, erobert Ferdl die Hamburger. Dass er diese Sorte Männlichkeit mit einer großen Rolle in sich entdecken darf, verdankt er zwei Männern: einem Homosexuellen und einem alten Mann. Letzterer ist der neuberufene Intendant des Thalia-Theaters, Erich Ziegel, der Ferdl 1932 von seinem Vorgänger Röbbeling in sein Ensemble und damit in seine Schulung übernommen hat. Seit 1916 ist er Theater-Kapitän in der Hansestadt. Er hat die Kammerspiele zu einer der modernsten Bühnen der zwanziger Jahre gemacht, mit Expressionisten, deutschen Klassikern und mit Shakespeare. Und der Homosexuelle, dem Ferdl zu danken hat, ist Richard Billinger, ein fast vierzig Jahre alter Landsmann, der von Erich Ziegel den halben Kleistpreis des Jahres 1932 für sein alpenländisches Bauerndrama *Rauhnacht* erhalten hat. In diesem Stück gibt es die große Rolle, die Ferdl für seine Männlichkeit braucht, den Simon Kreuzhalter, der mehrere Jahre in Afrika als Missionar gelebt hat. Dieser ist heimgekehrt, um als Bauer dort zu leben, wo er geboren wurde. In der Nacht vor Weihnachten, der Rauhnacht, wird der afrikanische Urwald mit all seiner Verzauberung, seiner Wildheit und Lust in ihm wach, regieren die afrikanischen Voodoo-Götter in den österreichischen Alpen. In einer Mischung aus religiöser und sexueller Raserei ersticht Ferdl eine Dorffremde, die sich ihm als Opferlamm hingibt. »Er setzte das Messer an ihre Brust. Sie kostete die süßeste Lust. Sie musste sterben!« Der Beifall nimmt kein Ende für ihn und seine jüdische Partnerin Mira Rosovsky:

Er hat nicht ganz die Schwere; er ist vielleicht auch noch zu jung. Aber er hat Phantasie, Leidenschaft und Temperament, das außer sich geraten kann. Er hat die nötige sprachliche Deutlichkeit und, vor allem, die Schlichtheit, die den dritten Akt erträglich machen muss. Es ist, trotz mancher Lücken, eine überzeugende Leistung. (…) Auf jeden Fall und unter allen Umständen ist dieser Abend in den Kammerspielen im Thalia-Theater der bisher wichtigste der Spielzeit. Wenn man die Situation im deutschen Drama überblickt, weiß man, dass er der wichtigste in dieser Spielzeit bleiben wird.

Es ist aber auch der Abend, an dem Ferdl wahrscheinlich von der Muse Thalia, die Billinger heißt, geküsst wurde. Er begreift wahrscheinlich zum ersten Mal, was Schauspielkunst von Schmiere unterscheidet, nämlich Selbstentdeckung, das Erkennen der eigenen sadistischen Anteile durch die Rolle des Lustmörders Kreuzhalter. Es ist der Abend, an dem Ferdls Karriere als Künstler ihren Lauf nimmt. Doch die Freude währt nur kurz, denn die Nazis werden ihm seine Lehrer und seine Partner vertreiben. Schon am 22. März 1933 glänzt und strahlt es in der Hamburger Nazigazette fett und groß über die volle Blattbreite: »Die Reinigung des Deutschen Schauspielhauses: Alle Juden entlassen! Wüstenhagen baut die jüdischen Schauspieler und Regisseure ab.« Auch Ferdl verlässt Hamburg und fährt heim nach Graz, wo am 29. März Mama gestorben ist. Die Beerdigung auf dem St.-Peter-Friedhof findet unter einem strahlend blauen Aprilhimmel statt. Auf dem Kiesweg von der kleinen Aufbahrungshalle zum ausgehobenen Grab gehen Vater, Sohn und alte Freunde vorbei an kleinen und großen Steinen mit deutschen, ungarischen und slawischen Namen und goldenen Vergissmeinnichtsätzen. Auf einem alten Kreuz steht: »Im sonneblinden Strauch blüht gelber Hartriegel, kleine Blaumeise lacht.«

In den sechs Jahren, die Ferdl jetzt weg ist, haben sich auch die Grazer sehr verändert. Wie alle Jahre vor Ostern gibt es auch jetzt auf dem Kaiser-Joseph-Platz schon frische Krenwurzen, schöne weiße und braune Hühnereier, saftigen Osterschinken, Milchbrot, Schilcher und Palmkatzerln. Aber was auf dem Markt fehlt, ist die Lebensfreude des Frühlingserwachens. In den sechs Jahren, die Ferdl jetzt von Graz weg ist, haben die schwarzen und braunen Faschisten aus dem schönen Lande einen Schlachthof gemacht. Ferdl bleibt nicht in der Steiermark, sondern fährt zurück ins Altreich, obwohl er Angst hat, Angst vor den faschistischen Theaterfunktionären, die selbst vor angesehenen Kollegen nicht Halt machen. Besonders verfolgt werden die Mitglieder des Kollektivs Hamburger Schauspieler, gesucht wird vor allem Gerhard Hinze, der die Gruppe geleitet hat und den Ferdl und Ruth verstecken. Andere erhalten Berufsverbot und arbeiten für den Jüdischen Kulturbund.

Ferdl will nach Hamburg die beiden anderen Theatermetropolen erobern: München und Berlin, was gar nicht so leicht ist, weil 1933 die Blonden und Blauäugigen gefragt sind, nicht Schauspieler mit seinem Aussehen, dem eines jüdisch-orientalischen Zuhälters. Im Sommer bekommt er eine kleine Rolle in München: von Falckenberg einen Franzosen im *Himmel Europas* und von dem Juden Kurt Bernhardt einen Arbeiterverräter in dem Spielfilm *Der Tunnel*, einen agent provocateur, aus dem Ferdl eine Hitlerparodie macht. Im Herbst versucht er sein Glück in Berlin, mit einem Schlossergesellen und einem Unterstaatssekretär des Völkerbundes im Renaissance-Theater (*Tod in Genf*), mit einem Mortimer und einem Gesandten in Rot (*Die Kaiserin*) bei Hilpert, aber ohne Erfolg. Und weiter geht es auch nicht mit Erich Ziegel in Hamburg, weil dieser 1934 nach Wien emigriert. Und erfolglos ist Ferdl auch in seiner Rolle als Bräutigam von Ruth, die sich von ihm in Berlin trennt, was zu verhindern auch Papa nicht gelingt, den Ferdl nachgeholt und in einer Pension in der Nähe von Onkel Toms Hütte einquartiert hat. Verlassen von Ruth und verlassen vom Thalia, sucht Ferdl Hilfe bei seinen Lieben daheim in der Steiermark und macht seiner Trofaiacherin am 18. März 1934 einen völlig unvermittelten Heiratsantrag, den diese freundlich ablehnt, was ihn aber nicht abschreckt. Er macht gleich ein zweites Angebot.

Ich werde im kommenden Herbst entweder in München oder in Hamburg oder Berlin sein. Das entscheidet sich in den nächsten Tagen, tut aber hier gar nichts zur Sache. Ich schlage dir also vor: Hättest du Lust zu mir zu kommen. Wir legen ein Wirtschaftsgeld fest, das du monatlich von meiner Gage abhebst, sodass ich es gar nicht in die Finger bekomme. Du bekommst ein fürstliches Gehalt, von dem du dir deine Pariser Modelle und Hüte kaufst. Ungefähr so:

Miete	80.- Mark
Wirtschaftsgeld	150.- Mark
Gehalt	30.- Mark
	260.- Mark

Du bist dein eigener Herr (…). Solltest du einen Bräutigam finden, bin ich als dein Brotherr bereit dir eine Aussteuer von 3 Leintüchern, 3 Kakteen und einer Garnitur Kinderwäsche nebst den besten Wünschen mitzugeben. Also Gerta – das ist Ernst!

Von so viel Ernst kann Ferdl sich nur mit lustigen Rollen erholen. Und die bekommt er in München. An einem schönen Maientag steht er gleich in zwei Rollen auf der Bühne der Kammerspiele. In der ersten Verkleidung ist er der junge Baron Jaro Milanovici. In der zweiten dessen Vater mit grauen Schläfen. Diese Doppelrolle muss Ferdl fünfunddreißig Mal auf der Bühne der Kammerspiele wiederholen, so begeistert sind die Münchner vom Sohn, der sein Vater ist. Der *Bayerische Kurier* schreibt:

Er stellt sich als Schauspieler von Format vor. Er ist ein guter Sprecher, ein gewiegter Akteur, der diesen Lustspielanlass benutzte, um etwas vom innersten Mysterium der Schauspielkunst zu erleben. Man spürt die Leidenschaft mit der Marian Theater spielt und bewundert die Leichtigkeit der Form, die Eleganz der Technik, mit der die inneren Möglichkeiten umgesetzt werden.

Nach diesem Publikumserfolg in der Theatermetropole München bekommt Ferdl zahlreiche Angebote: von der Bavaria eine winzige Rolle mit Hans Albers. Er hat einen aufständischen Araber zu spielen, der eine junge Muselmanin ermordet, weil sie sich mit dem Christen Peer Gynt einlässt. Der Hörfunk bietet ihm zwei Rollen an, den Cavaliere Constanzo degli Alberti von Goldoni und Goethes Urfaust. Aber das für Ferdls künstlerische Entwicklung folgenreichste Angebot kommt von Otto Falckenberg, dem leidenschaftlichen Schauspiellehrer unter den Spielleitern, der ein glühendes Ineinander-verschmolzen-Sein mit seinen Spielern sucht, ein fast schmerzhaftes Nicht-mehr-voneinander-Können, eine unio mystica, um den Schauspielern dabei zu helfen, sich zu entdecken, mit ihrer Individualität aus dem Rollentext des Dichters einen neuen Menschen in die Welt zu setzen. Die erste Figur, die Falckenberg Ferdl finden hilft, ist der Roller in den *Räubern*. Ferdl wird dabei ein echter Räuberkámerad, dessen Treue so glaubwürdig ist, dass sein Hauptmann ihn wenige Schritte vor dem Galgen noch rettet. Publikum und Kritik sind begeistert. Sein Roller sei eine aufpeitschend realistische Verbrecherstudie von beklemmender Schärfe. »Wie er vom Galgen herab unter den Räubern eintrifft, das könnte im Simplizissimus des Grimmelshausen stehen.« Der zweite Mensch, den Ferdl mit Falckenbergs Hilfe in sich entdeckt, ist ein Frankenstein, ein österreichischer Bergbauernsohn, der Pilot geworden ist und dem es bei einem Flugzeugabsturz die Haut vom Gesicht gerissen hat. Die Schönheitschirurgen haben ihm eine andere Haut aufgenäht. Wie er ausgesehen hat, weiß niemand. »Eine Maske, vor der man sich fürchten könnte, scheu, gehetzt, verbittert, spielte Marian ergreifend den Menschen, der ›immer nur abstürzt‹.« Und das dritte Wunder, das Falckenberg mit Ferdls Seele vollbringt, heißt Amphitryon. Er nimmt es mit Jupiter auf. »Marian war der echte [d. h. er war als echter Amphitryon sofort erkennbar, d. V.]. Er war auch der mit Abstand bessere und gab den thebanischen Heerführer leicht karikiert, unfürchterlich, mit schiefgezogenem Munde tobend.« Was Ferdl bei Falckenberg in München künstlerisch dazu gelernt hat, wird ihm schon in der folgenden Spielzeit (1934/35) in Hamburg klar, wo er mit unbedeutenden Regisseuren wie Mundorf und Bortfeldt arbeiten muss. Ganz auf sich gestellt, präsentiert Ferdl einen Plutokraten und Kolonialisten, wie ihn nicht böser die Titelseite des *Völkischen Beobachters* zeigen könnte. Er spielt einen US-General, der Kuba überfällt, außerdem noch zwei weitere Militärs, die morden, aber nicht aus Machtstreben, sondern aus Eifersucht und Blutgier. Aber Ferdl begeistert sein Publikum nicht nur mit Mördern und Lustmördern, sondern auch in der Rolle des bereitwilligen Opfers. Er ist der reiche und verhätschelte Bubi, um den gleich zwei energische Frauen kämpfen. Er spielt Aufsteiger, die ihre Karriere sozial höher stehenden Damen verdanken. Und er zeigt den Hanseaten, dass er Klavier spielen und Schlager singen kann. Auch wenn das künstlerische Niveau des Thalia-Theaters in Hamburg weit unter dem der Münchener Kammerspiele liegt, auf beiden Bühnen muss Ferdl in Stücken auftreten, mit denen alteingesessene und betuchte Antisemiten und neureiche Aufsteiger in der eleganten SS-Uniform ins Parkett gelockt und unterhalten werden sollen. In München spielt er einen andalusischen Adeligen, der in Anspielung an bekannte antisemitische Körperschemata seinen jüdischen Diener mit den Worten zum Kuschen bringt: »Was redst du krummer Jude ungefragt?!« Und mit dem Ewigen Juden spielt Herr von Lips auf das antisemitische Motiv von der Unausrottbarkeit des Judentums an. Ferdls junger Arzt behandelt eine Patientin, deren Mann Abraham heißt. Sein König Ferdinand verbannt schon 1492 alle Juden aus Aragonien. Sein Sir Robert Chiltren verdankt sein durch Landesverrat erworbenes Vermögen einem Baron Arnheim in Wien. In *Sonne für Renate G.m.b.H.* sind die Geschäftspartner seines verliebten, scheuen Architekten zwei Shylocks, die auf ihrem Schein bestehen, der sie zu Besitzern von einem Stück Renate macht. Und bei der Frage, ob in Shaws *Die heilige Johanna* die Jungfrau gefangen genommen oder gekauft werden solle, kommt es zwischen seinem Graf von Warwick und einem englischen Kaplan zu einem Streit über Juden. Der Kaplan würde keinen Juden in der Christenheit am Leben lassen, weil sich Juden überall dazwischen

drängen, wo Geld von Hand zu Hand geht. »Warum nicht?« hat Ferdl
zu sagen:

Die Juden geben gewöhnlich, was eine Sache wert ist. Sie lassen sich bezahlen, aber liefern die Ware. Ich habe die Erfahrung gemacht, dass Menschen,
die etwas umsonst haben wollen, immer Christen sind.

Es war ein Antisemitismus zur Unterhaltung, den Ferdl auf den Pro-
vinzbühnen permanent anzubieten hatte. Diese banale Verspottung
von Juden ist aber nach 1933, nach der Aufhebung der rechtlichen
Gleichstellung der Juden (Beamtengesetz, Nürnberger Gesetze)
eine bösartige und schamlose Denunziation von Menschen, die verfolgt, vertrieben und ermordet werden, eine Denunziation, vor der
sich auch Ferdl fürchten muss, nicht nur weil er für Antisemiten wie
ein Jude aussieht, sondern weil er am 30. März 1936 eine ›Juden-
hure‹ in Hamburg heiratet, nämlich die von einem Juden geschie-
dene Schauspielerin Maria Byk, mit der er 1935 in *Straßenmusik* das
Publikum der Münchener Kammerspiele begeisterte. Aber nicht
genug: Die Trauzeugen sind notorische Kommunisten. Und die
Liebe zu seiner bayerischen Schickse mit dem frömmelnden Blick
einer Jungfrau Maria Muttergottes macht den angeblich zeugungs-
unfähigen Katholiken zum Stiefvater eines Judenmädchens, dessen
leiblicher Vater von London aus mit Hilfe der BBC gegen Deutschland ›hetzt‹.

Von der Bühne auf die Leinwand, vom Theater ins Kino (1936–1939)

Das Jahr 1936 ist für Marian ein Jahr des Neuanfangs. Der vierunddreißig Jahre alte Stiefvater tut anfallartig Dinge, die anderen mit zwanzig oder in ihrer midlife crisis einfallen. Er wird über Nacht Stückeschreiber und dichtet ein Bauernstück (*Das Ei des Korbinian*), das so erfolgreich ist, dass es noch Jahre nach seinem Tod gespielt und sogar vom Fernsehen aufgezeichnet wird. Und der von seinem Theaterpublikum in Hamburg und München geliebte Künstler will plötzlich von der Bühne weg und zum Film, und zwar mit Hilfe des Regisseurs Erich Engel, vor dem der Verrückte sich sogar schämt, weil er 1935 beim Vorsprechen ausgerutscht und wie ein kleiner dummer Junge vor dessen Füßen gelandet war; was Engel nicht hinderte, den Spinner für den Film zu engagieren und ihm in den folgenden Jahren ein väterlicher Freund zu werden. Engel gehörte vor 1933 zur linken Theaterszene Berlins und zu DDR-Zeiten zum Berliner Ensemble. Vor und nach den Nazis inszenierte er Brecht, und seinen größten Erfolg erzielte er 1928 mit der *Dreigroschenoper* im Theater am Schiffbauerdamm. Aber Engel ging 1933 nicht in die Emigration, sondern, wie man damals witzelte, in die Unterhaltung. Und nun, 1936, mitten im Dritten Reich und dessen kitschiger Theatralik entwickelt Engel Brechts unterhaltsames Theater unauffällig weiter. Er lehrt Ferdl die Schauspielkunst der Vernunft. Engel zeigt ihm, was der Verzicht auf Improvisation und der Verzicht auf restlose Verwandlung an Realismus in eine Rolle bringt, auch vor der Kamera. Da er sich mit der Person, die er darstellt, nicht identifiziert, kann Ferdl ihr gegenüber einen bestimmten Standpunkt wählen, seine Meinung über sie verraten, den Zuschauer, der auch seinerseits nicht eingeladen wird, sich zu identifizieren, zur Kritik der dargestellten Person auffordern.

Der schneidige Chauffeur etwa, den Ferdl für Engel vor der Kamera zu spielen hat, ist in Wirklichkeit ein Fürst. Solche Doppelrollen sind für ihn nichts Neues, sondern Leibrollen. In Livree ist er der Chauffeur, mit Frack der Fürst. Ferdl verdünnt seine Stimme zu höchsten Höflichkeiten, ist reserviert in einem Augenblick, im nächsten leutselig, mit schnell hingeworfenen groben Vertraulichkeiten. Diese Wiener Mischung aus angeborener Noblesse und Ungeniertheit ergibt zwar keinen Aristokraten vom Hofe des russischen Zaren, wohl aber einen von jenen österreichischen Grafen, die durch unsere Zauberpossen und Operetten stolzieren. Schon als kleiner Bub hat Ferdl sie in der Burg oder in der Hofoper bewundert und sich genau den Gang gemerkt, den gestreckten Rücken und den steifen Nacken, die gespreizten zarten Handerln, mit denen berühmte Schauspieler und Sänger Standespersonen dargestellt haben. Die Atelierszenen werden im Juni in Berlin aufgenommen, im Terra-Glashaus in Marienfelde und in zwei Tobishallen in Johannisthal. Die Außenaufnahmen im Juli an der italienischen Riviera, in San Remo. Nach drei Tagen ist Ferdl so fertig, dass er aufgeben möchte.

»Sie werden mich für furchtbar undankbar halten, aber noch ist es ja Zeit, Sie müssen die Rolle umbesetzen, ich kann nicht!« – Engel sieht ihn kopfschüttelnd an: »Was ist denn los?« Ferdl schildert ihm seine Erlebnisse im Atelier, die seltsamen Umstände, unter denen er spielen soll. – Engel aber bleibt ganz gelassen: »Lieber Freund, das haben alle überwunden – das werden auch Sie können!« Premiere hat der *Hochzeitstraum* in München zum Oktoberfest, im Gloria-Palast und in den Rathaus-Lichtspielen. Und Wolff Eder interviewt ihn sogar für das *Abendblatt* und schreibt einen langen Zweispalter mit der dicken Überschrift: »Die Prophezeiung der Lehrer ging nicht in Erfüllung: Aus dem Lausbua ist ein großer Schauspieler geworden.« »Filmen ist schön«, lässt er Ferdl sagen, »gewiss, aber so schön, wie sich die Leute das denken, ist es beileibe nicht. Es kostet Nerven, gute starke Nerven. Aber mit einem guten, herzlichen Lachen muss man eben über die Hindernisse des Lebens springen.«

Bis zu seinem Süß spielt Ferdl zwei gute Menschen, zwei vermeintliche Mörder und vier eindeutige Bösewichte, aber alle mit sex appeal und alle im Schatten leuchtender Kinosterne. Dem Mama-Mia-Tenor Beniamino Gigli applaudiert sein russischer Prinz (*Stimme des Herzens*), die polnische Uralt-Diva Pola Negri betrügt er als Liebhaber (*Madame Bovary*), den Publikumsliebling Zarah Leander verführt sein südamerikanischer Großgrundbesitzer, mit René Deltgen kämpft er im norwegischen Eismeer, der beliebten Käthe Dorsch opfert sich sein Geiger, mit Direktor Kolman ist er ein Konzernchef, der über Leichen geht, um den Heimatfilmliebling Franziska Kinz wirbt sein verwitweter Chemieprofessor und um die berühmte Salondame des deutschen Kinos, um Olga Tschechowa, sein böser britischer Friedensrichter. Den ersten größeren Erfolg erzielt er mit Zarah. Sie spielt eine junge schwedische Touristin, die sich auf der Sonneninsel Puerto Rico von einer Habanera und von Ferdl verzaubern lässt. Ferdl tut sich schwer mit der spanischen Härte und Strenge seines Don Pedro de Avilas. Er kennt spanische Zucht und Ordnung ja nur von der Hofreitschule in Wien. Er versucht, Pedro eine aufrechte Statur zu geben, kann seinen schlaffen Leib aber nur bis zu einer peinlich sichtbaren Steifigkeit anspannen. Er sitzt zu Pferd wie ein patzweicher Fiaker, den ein Lederkorsett zum Herrn macht. Auch der Tritt seines festen Schrittes ist nur auf der Bühne zu hören, vor der Kamera ist die Aufgesetztheit unübersehbar. Überzeugender ist schon sein Befehlston, dem er eine leicht fremdländisch klingende, einförmige Kopfstimme verleiht. Am echtesten ist Ferdl in Auftritten, in denen der harte Verführer plötzlich weich wird. Dass die junge Schwedin das abfahrende Schiff verlässt und auf der Insel zurück bleibt, erregt Don Pedro so sehr, dass Ferdl Zarah kaum küssen kann, sondern seine Arme um sie schlingt und sie förmlich zerquetscht, so fest hält er sie. »So viel Mut hatte ich einer Frau niemals zugetraut. Im letzten Augenblick umzukehren!« Und als die sanfte Zarah den todkranken Genussmenschen, der sich nicht nur von seiner Mutter, sondern nun auch von ihr verlassen glaubt, um Erlaubnis bittet, sein Lieblingslied singen zu dürfen, ist er von dieser Bitte so überrascht und überwältigt, dass er fast das Bewusstsein verliert. Ferdl verdreht seine Augen, bekommt das Heiligenlächeln eines Fallsüchtigen und wird atemlos.

Die Außenaufnahmen finden auf dem faschistischen Teneriffa statt, wo ein junger andalusischer Stier sechs Wochen lang der Star ist. Mit diesem Stierkampf spiele sich Ferdl in die erste Reihe, meint der *Film-Kurier* nach der Premiere. Lob bekommt Ferdl 1939 auch für einen Geiger, der sich für seine Frau opfert, weil er glaubt, dass sie seine Geliebte erschossen hat. Die Kritiker sind gerührt:

Eine der schönsten schauspielerischen Leistungen zeigt Ferdinand Marian. Er wird der Rolle des Meistergeigers so völlig gerecht, dass seine Auslegung gründliches musikalisches Gefühl verrät. Mit die schönste Szene, die den stärksten Eindruck hinterlässt, ist die der Wiederbegegnung mit seiner Tochter, die ihn nicht kennt. Was Marian hier an Ausdruckskraft in wundervoller Verhaltenheit zeigt, ist großartig!

Nach seinem bösen, weil fremdrassigen Südamerikaner in *Habanera* und nach seinem bösen Kapitalisten (*Der Vierte kommt nicht*) erzielt Ferdl mit seinem dritten Feind der Deutschen, mit einem hinterhältigen Engländer, 1940 einen überraschenden Durchbruch. Dass ihm dabei die Bomben-auf-England-Stimmung im zweiten Kriegsjahr zu Hilfe kommt, versteht sich (»Das Englandlied klingt wie ein Schwur«), aber ohne seine großartige Darstellung würde sich niemand für ihn interessieren. Denn die Tobis wirbt mit den Namen der Stars Carl Ludwig Diehl und Olga Tschechowa. Aber die Kritiker vertauschen die Plätze in der Rangliste. »An erster Stelle«, so schreibt eine Kritikerin der Fachzeitschrift *Der Deutsche Film* im Mai 1940, »ist Ferdinand Marian zu nennen, der ohne jede Schwarz-Weiß-Zeichnung dem englischen Gegner und doppeltes Spiel treibenden Hasardeur durchaus menschliche Züge gibt.« Es sei ein Musterbeispiel psychologischer Kunst, wie Ferdinand Marian dem Vertreter der englischen Gewalt, dem Friedensrichter, keine Schemamaske des Schreckens gebe, sondern einen Charakter, schillernd zwischen Überlegenheit und Trieb, ein verfolgter Verfolgter, Meister und Opfer des Doppelspiels zugleich. Der englische Friedensrichter werde durch die scharfe Charakterisierung Ferdinand Marians förmlich zur Verkörperung des politischen Verbrechers:

Ferdinand Marian als Fuchs, eine Glanzleistung des großen Charakterdarstellers, der jetzt endlich auch im Film in die erste Reihe unserer Schauspieler rückt, im Film und beim Filmpublikum die Beachtung findet, die er auf der Bühne schon geraume Zeit hat. Sein *Fuchs von Glenarvon* macht ihn endgültig zum Star und Kassenmagnet – um mit diesen leider abgegriffenen Worten Ihnen kurz den Durchbruch dieses Mannes zu kennzeichnen.

Trotz der vielen Drehzeit, welche die Kinokarriere kostet, übernimmt Ferdl auch immer wieder Hörspielrollen. Denn er besitzt eine schöne Stimme und ist ein ausdrucksstarker Sprecher. In München steht er 1937 mit einem lieben Bauernbuben (*Der Holledauer Schimmel*) vor dem Mikrofon, danach mit dem James aus *Die Mär vom Junker Ballantree* und mit einem Handwerkersohn, der nach oben kommen will und dabei aus Jähzorn zum Mörder wird (*Das Vierte Gebot*). Und 1938 für den Deutschlandsender in der Masurenallee in Berlin mit einem ungarischen k. u. k. Oberleutnant (*Der Goldhelm*) und einem deutschnationalen Tropenarzt, dem es in den von Engländern besetzten deutschen Kolonien gelingt, die Schlafkrankheit zu bekämpfen. »Deutschland hat einen gewaltigen Sieg gegen eine der gefährlichsten Tropenkrankheiten erkämpft«, hat Ferdl zu sagen. »Niemand kann das bestreiten. (...) Es ist bitter, diese Arbeit immer auf fremdem Boden zu tun!« (*Tödlicher Schlaf*) 1939 spricht er einen Schriftsteller (*Wandlungen der Liebe*). Und 1940 bekommt er eine kleine, aber wichtige Rolle in der Masurenallee, in einem Hörspiel um den Bau des Suezkanals, um den Streit zwischen England und Frankreich, den Albion gewinnt – mit Hilfe eines französischen Verräters und des Juden Rothschild. Darin spielt Ferdl den französischen Außenminister, der aus Angst vor Deutschland die Kanalaktien den Briten überlässt.

Und wegen der vielen Zeit, die die Kinokarriere kostet, steht Ferdl von 1936 an nur noch zwischen den Drehtagen auf der Bühne. In den Münchener Kammerspielen 1936 mit einem russischen Exilprinzen (*Towarisch*) und einem ländlichen Kinobesitzer, der für den Großfilm *Der Schuß ins Nichts* mit der berühmten Mia Dia gegen Iphigenie kämpft (*Iphigenie in Moosing*); 1937 mit Lord Darlington (*Lady Windermeres Fächer*) und Stanhope (*Die andere Seite*). Im Münchener Residenztheater spielt Ferdl 1937 den John aus *Zweigespann* und 1938 einen Rennfahrer in *Lauter Lügen* sowie den Bürgermeistersohn, den er schon im Hörspiel gesprochen hatte (*Der Holledauer Schimmel*). Als Jupiter steht er 1938 bei den Salzburger Festspielen auf der Bühne. Und mit nur drei Rollen – Tanner, Brummell und Jago – erobert Ferdl in zwei Spielzeiten (1938/39 und 1939/40) das Theaterpublikum in Berlin. Am erfolgreichsten in München ist er mit einem russischen Prinzen, mit dem schon André Lefaur im Kino und Curt Goetz in Berlin glänzten, und auch bei seiner Interpretation schnappen die Kritiker förmlich über: »In doppeltem Sinne könnte man als Überschrift über die Besprechung dieser Aufführung schreiben: ›Verbannter Prinz findet zu seinem Volk zurück‹.« Der Kritiker verzichtet auf diese pathetische Überschrift, nicht aber auf das Pathos, und erklärt den doppelten Sinn:

Das ginge nämlich einmal auf den Prinzen Mikail Alexandrowitsch Ouratieff, der als Emigrant in Paris lebt, in bitterster, drückendster Armut (…) und der (…) seinem Todfeind, dem Sowjetvolkskommissar Gorotschenko (…) vier Milliarden übergibt, um Russlands Willen, um des russischen Volkes willen, damit die Petroleumfelder nicht verpfändet werden müssen – dann aber diesen Gorotschenko ins Gesicht schlägt, sich in Verachtung abwendet und sein Schicksal weiter trägt. Aber das Wort vom Prinzen, der heim findet, sollte dann auch auf Ferdinand Marian anzuwenden sein, diesem Prinzen der Schauspielkunst, der nun nach einjähriger Abwesenheit in Hamburg heimgekehrt ist ins Schauspielhaus, Gott sei Lob und Dank, und der gestern Abend als eben jener Prinz Ouratieff seinen glänzenden Einzug gefeiert hat. Als der Vorhang aufging – der Prinz liegt da noch schlafend im Bett, seine Gattin Tatjana, Nichte des Zaren, sitzt schon angekleidet bei ihm – war männiglich bereit, Marian mit einer Beifallssalve zu begrüßen, man hört es ordentlich in den Gelenken zucken, aber – Triumph der Schauspielkunst! Triumph sogar in einem Augenblick, wo sie nichts tut, Triumph unter Opferung der Persönlichkeit – die Spannung auf das Kommende, die Ehrfurcht vor dem Darsteller siegte über die Lust, ihn zu begrüßen, und nach dem Aktschluss erst brach sich die Freude in endlosem Beifall Bahn. Eine schönere Beobachtung von der Beliebtheit und zugleich von der Macht eines Schauspielers kann wohl nicht leicht gemacht werden. Nun gibt Marian auch gleich im ersten Augenblick eine Probe seines unerhörten Könnens, das schlechterdings alle Gebiete der schauspielerischen Darstellung umfasst, wie er nämlich aus dem Bett springt, den Kleiderständer greift und während eines solchen turnerischen Prachtstücks Worte von unübertrefflicher Ausdrucksfeinheit des Klanges formt (…).

Und Berlin erobert Ferdl mit der ersten Premiere (*Mensch und Übermensch*). Er wird über Nacht stadtbekannt. Er steht als Tanner auf der Bühne in der Schumannstraße, als Bernard Shaws Don Juan aus England, der nicht verführt, sondern verführt wird und deshalb im Auto flüchtet. Schon während der Vorstellung gibt es immer wieder spontanen Applaus, besonders lebhaften im dritten Akt mit Don

Juan, Donna Anna, dem Teufel und den mozartischen Violinen, welche diese Traumszene untermalen. Das Publikum ist so fasziniert und begeistert, dass es sich nach dem letzten Akt zwar von den Sitzen erhebt, aber keine Anstalten macht zu gehen. Es klatscht und klatscht und klatscht und klatscht und klatscht und klatscht und klatscht! – Es klatschte die Prominenz von Theater und Film in der Reichshauptstadt. Es ist ein großer gesellschaftlicher Abend. Die Kölnische Zeitung schreibt über Ferdl:

[Er] spielt aus vielen Reserven heraus, das heißt: Er keucht nicht dem Ende zu, sondern ist in jedem Augenblick, auch in der Niederlage, sich seiner Sendung bewusst. Sein Streben nach Übermenschentum verdunkelt nicht seine Stirn. Sein prophetischer Anspruch wirkt nicht herausfordernd, sondern reinigend, klärend. Ein heller, wacher Geist, der sich selbst gebändigt hat, bevor er daran geht, die andern zu belehren. Er kommt aus der klaren Weltgeistluft Hegels und findet sich mit der höllischen Romantik der allzu weiblichen Erde so ab, wie es einem anarchistischen Gentleman wohl ansteht. Marian ist der geborene Shaw-Darsteller. Bei allen intellektuellen Todessprüngen fällt er doch immer wieder auf die Beine.

Und einen Höhepunkt in Berlin erzielt er mit seiner dritten großen Rolle. Sie ist seine letzte im Deutschen Theater und auch die letzte große Bühnenrolle in seinem Leben. Er spielt einen Bösewicht, den er seit seiner Kindheit kennt. Zum ersten Mal hat er ihn in der k. u. k. Hof-Oper gesehen. Im Grazer Stadttheater ist er ihm auf der Bühne begegnet und danach noch einmal in Hamburg. Jago heißt der böse Mann, ist Venezianer und im Dienste eines Mohren, den er hasst, weil er von dem Fremden nicht befördert wird. Und so legt Ferdl auch seinen Jago an, sodass das Publikum selbst am Ende der Vorstellung noch nicht weiß, wer dieser Jago ist. Einige halten ihn für einen frechen Venezianer, der sich zunächst nur rächen will. Sein Jago sei nicht der Schurke um der Schurkerei willen; er versuche zumindest, sein Handeln aus der Rivalität zu dem zum Leutnant beförderten Cassio abzuleiten, und wenn er dann voller Niedertracht eine Schufterei nach der anderen begehe, so tue er das, zunächst wenigstens, in einer diebischen Freude am »Hochnehmen« und »Begaunern«:

Mit welch suggestiver Kraft weiß er das »Tu Geld in deinen Beutel!« zu sprechen! Augenzwinkernder Witz und humorgesättigte Ironie leuchten da aus den Augen. Erst aus solch fein abschattiertem komödiantischem Übermut geht dieser Jago in die bloße Gemeinheit über, erst so wechselt jener Übermut zur Bosheit.

Andere sehen den Levantiner verkörpert – verstärkt auch in der äußeren Erscheinung mit Bärtchen und fezartiger Kopfbedeckung:

Geschmeidig, elegant und stets auf leichten Sohlen ist er eine luziferische Gestalt eigener Art, die nichts von ihrer durchaus diesseitigen Existenz einbüßt. Ein Levantiner als Soldat mit der kalten Heiterkeit eines Menschen, den kein Gewissen belastet, dazu von der Natur ausgestattet mit katzenhafter Grazie, deren Fragwürdigkeit nicht leicht zu durchschauen ist, die es ihm aber ermöglicht, das Zotenhafte raffiniert, ohne primitive Derbheit auszusprechen.

[Er sei das] levantinische Schusterle, jenseits von Gut und Böse. Man möchte meinen, nicht bloß gekränkter Ehrgeiz sei das Motiv seiner Ränke. Es mischt sich eine ganz primitive Freude am Trug und Betrug in sein Charakterbild.

Wieder andere halten Jago für einen nordischen Bösewicht, der

mit immer verstecktem Genuss seine Rache inszeniert, jene auskostende Rache, der auch Hamlet nachgeht und die ein Erbe der bösartigen nordischen Racheidee ist. Mit lächelnder Sanftheit knüpft er sein Netz, gerissen demütig vor Othello, ein überlegener Ironiker gegen die anderen, ärmeren Opfer. Die Impertinenzen fallen ihm wie nebenbei aus dem Mund, ohne die Prägnanz zu verlieren, und treffen so doppelt scharf.

Andere wiederum halten Ferdls Jago für einen Lustmörder, der aus purer Lust am Gemeinen Blut und Seele des Mohren vergiftet,

aus dem infamen Vergnügen, den Frieden zu stören, wo er ihn findet, Harmonie in Missklang zu verwandeln. Eine viel zu sinnlich-niedrige Natur, um an reines Glück glauben zu können, muss er die Reinheit beschmutzen, wo er ihr begegnet. Doch er ist boshaft ohne Plan; ganz von ungefähr kommen ihm seine bösartigen Einfälle, er freut sich selber diebisch darüber und geht frohgemut ans schändliche Werk.

Für Ferdl ist dieser Jago aber weder ein Levantiner noch ein Lustmörder und auch kein nordischer Bösewicht, für ihn ist dieser Jago nichts weiter als ein Wiener Strizzi. »Am liebsten möchte ich ihn auf ottakringerisch spielen!« Aber alle Journalisten sind sich über die Einzigartigkeit der schauspielerischen Leistung einig. »Nie ist der Jago spielerischer gespielt worden als hier, und gerade in solcher Gelockertheit wuchert die Verlumptheit umso gefährlicher.« »Doch immer wieder spürt man in der Dämonie eine gewisse spielerische Leichtigkeit, mit der Jago-Marian die Fäden des Geschehens lenkt.« »So in Bonhomie eingekleidet und fern jeder Scheinheiligkeit, haben wir den Jago noch nicht gesehen. Die Wirkung war so neu wie hinreißend.« »Er ist der vollendete Komödiant.« Von Marians Bösewicht ist die fünfunddreißigjährige Leni Riefenstahl so mitgerissen, dass sie auf dem Höhepunkt der Intrige aus Wut und Angst zu schreien anfängt und aus der Vorstellung flüchtet.

In den Jahren von 1936 bis 1940, in den vier Jahren vor *Süß*, hat Ferdl viel Erfolg in den Medien des Dritten Reiches. Er ist im Kino zu sehen und im Radio zu hören, steht mit großen Rollen auf der Bühne und im Smoking auf Naziveranstaltungen: Immerhin dreht er gleich zweimal mit Goebbels' Schwager. Die Journalisten reißen sich um den Schauspieler, der ein Star zu werden beginnt. Er gibt der *Filmwoche* und der *Filmwelt* ein langes Interview zu Hause im Grunewald und posiert für private Fotos. Künstlerpostkarten werden von ihm gedruckt. Es ist ein Aufstieg innerhalb der Bewusstseinsindustrie der Nazis, den Ferdl mit sehr viel Selbstaufgabe und Selbstverleugnung im Voraus bezahlt. Sechs Wochen nach der Zerstörung der spanischen Stadt Guernica durch Bomber der deutschen Legion Condor zeigt Ferdl mit seinem Stanhope die

männliche Würde der Todesbereitschaft, den bedingungslosen Glauben an den Sinn des Opfers, den wortlosen Heroismus der Tat. Das Drama erhärtet die Gesinnung, die dem Krieg sein furchtbares Recht einräumt im Lebenskampf der Völker.

Acht Jahre zuvor in Gladbach hatte Ferdl diesen Kompanieführer noch als Pazifisten und Kriegsgegner interpretiert. Und vier Monate nach dem ›Anschluss‹ seines Heimatlandes Österreich an Deutschland kommt Ferdl mit den Nazis nach Salzburg und steht auf der berühmten Reinhardt-Bühne der Felsenreitschule. Der Jude Max Reinhardt ist längst vertrieben. Aus Protest hat Toscanini seine Teilnahme abgesagt. Nur Ferdl steht mit einer Schauspielertruppe der deutschen Besatzungsmacht, mit dem Ensemble des Deutschen Theaters Berlin, auf der Judenbühne und bringt die deutschen Besatzer und die Kollaborateure im Zuschauerraum zum Lachen. Mit seinem Jupiter betrügt Ferdl nicht nur Alkmene und Amphitryon auf der Bühne, sondern er verrät sich und seine Landsleute, unter denen sich viele Kollegen befinden, die er sehr gut kennt, und die von den Nazis in österreichische Gefängnisse gesperrt, nach Dachau verschleppt, ja sogar in den Tod getrieben wurden. Und er schämt sich auch nicht, mit der Cebotari in Salzburg für die Fotografen zu posieren, in Lederhosen und mit modisch gescheitelter Hitlerfrisur.

Und Ferdl schämt sich auch nicht, nach der blutigen Reichskristallnacht 1938 in Berlin weiter den Tanner im Deutschen Theater zu spielen sowie Abend für Abend den Straßenräuber Mendoza in der Sierra Nevada zu denunzieren, der zugleich der Teufel ist und im antisemitischen *Stürmer*-Jargon bekennt:

Es ist wahr, ich habe die Ehre Jude zu sein, und wenn die Zionisten einen Führer brauchten, um unser Volk auf dem historischen Boden von Palästina zu vereinigen, dann wird Mendoza nicht der letzte Freiwillige sein.

Am Ende seines Räuberlebens erweist sich die Herrschsucht, die von Antisemiten den Juden stereotyp unterstellt wurden, als dessen eigentlicher Antrieb: »Ich wurde der Anführer, so wie ein Jude wegen seines Verstandes und seiner Fantasie immer Führer wird.« Ferdl schämt sich auch nicht, nach der zunehmenden Entrechtung und Diskriminierung der Juden in Deutschland (Novemberpogrom, Zwang zur Führung der Vornamen Israel und Sarah), das Unglück seines Beau Brummell dem Juden Rothschild in die Schuhe zu schieben. Auf der Bühne spricht Ferdl 1939 den *Stürmer*-Slogan: »Die Juden sind unser Unglück.« Und Ferdls Jago, der die Intrige spinnt, ist kein Venezianer, sondern zeitgemäß ein Levantiner, ein Orientale, vielleicht sogar ein Jude. Mit seiner Stimme eröffnet der Deutschlandsender den Ätherkrieg gegen Juden und Briten. In der Selbstverleugnung und Selbstaufgabe und im Kampf gegen sein vom Ufa-Vorstand bemängeltes jüdisches Aussehen geht Ferdl so weit, dass er sich auf der Leinwand kaum noch wieder erkennt:

Neulich saß ich mit meiner Frau in der Voraufführung von *Der Vierte kommt nicht!*, der heute in Berlin uraufgeführt wird. Da sah ich mich also, einen Ivar-Kreuger-Typ, als verbrecherischen Bankier wieder. Und blitzschnell fiel mir bei jeder Szene alles wieder ein, was verquer gegangen war: »Hier hat deine Krawatte schief gesessen, da hast du mit dem Mund gezuckt, dort bist du mit dem Text gehängt.« Als es fertig war, wusst' ich wohl: Der Schafheitlin war gut, und der Werner Hinz war gut, aber wie bist du selber gewesen? Ich fragte meine Frau; sie sagte erstaunt: »Du hast dich doch gesehen?« Ich antwortete: »Mich habe ich gar nicht gesehen! Das war irgendeiner, der so aussah wie ich.«

Und dann zitierte Ferdl einen Ausspruch eines großen Schauspielers: dass man doch einmal im Leben sich selber begegnen, sich erkennen möchte ... Aber wenn man dann wüsste, wie man ist, dann wäre ja wohl der Zauber fort. Dann könnte man nicht mehr andere Menschen darstellen. Und darstellen, das muss man ja ...

Wenn ich nur vierzehn Tage auf Urlaub wäre, so hätte ich schon keine Ruhe mehr, bis ich dies alles wieder um mich habe; die Spannung vor dem Auftreten, die Verwandlung der Maske, das Anderssein. Zum Weisen ist man halt doch verdorben.

Jud Süß – Staatspolitisch wertvolle Schamlosigkeit

Die Ablehnung der Rolle (1939–1940)

Eigentlich sollte es eine fröhliche Zeit werden, das Jahr 1939. Im Frühling wollte Ferdl mit Erich Engel eine seiner Lieblingsrollen drehen, den Vorstadtcasanova. Dieser elegante Gauner gehört zum festen Bestand des österreichischen Volkstheaters. Er verbirgt den Heiratsschwindler im Liebhaber und macht aus dem Erbschleicher nicht selten einen Frauenmörder. In Graz bekam Ferdl für seine Hallodri regelmäßig Beifall. Ein solcher war auch sein reicher Vorstadtverführer in Anzengrubers *Viertem Gebot*. Ferdl trug einen kurzen Anzug, ohne Geschmack, seine Hand war voll schwerer Ringe, eine auffallende Uhrkette hing heraus, zwischen den Zähnen steckte eine kostbare, aber sehr massive Zigarrenspitze. Er betrat mit einem verweinten Mauserl ein verwahrlostes Zimmer, halb Werkstatt, halb Wohnung, um mit ihm Schluss zu machen. »Mein Alter will mich verheiraten«, hat Ferdl zu sagen, »und da ich ihm schon mehr zu Trutz als z'Gfallen tan hab, so hab ich da net nein sagen mögen.« Sich tröstend fährt er fort: »Is a wieder a Abwechslung, und a Abwechslung muss der Mensch habn, sonst wird's Leben öd.«

Eine solche Rolle fürs Kino zu kreieren, hatten Engel und Ferdl mit den Bavaria-Leuten im Herbst 1938 nach der erfolgreichen *Don Juan*-Premiere im Hotel Bristol vereinbart. Aber diese Glückssträhne verfranste sich bald. Es häufen sich 1939 die Unglücksfälle. Das kleinste Übel, das Ferdl 1939 passiert, ist noch der Zweite Weltkrieg. Er wird zwar nicht eingezogen, bekommt aber nicht mehr die nötige Feinkost, ohne die er sich keinen Rollentext merkt. Deshalb bittet er seinen Freund Gasser in Trofaiach:

Wir in Berlin hier sind vollkommen aufgeschmissen. Ich denke mir, es geht bei euch doch etwas besser. Kaffe brauchert ich. Oder Dosenmilch. Oder a Dauerwurscht. Wenn du es als Eilpäckchen (bis 2 Kilo) oder als Expressgut aufgibst, vielleicht in Leoben, kommt es schnell und gut bei mir an. Preis ist Nebensache. Ich wäre dir sehr dankbar und zu Gegendiensten jeder Art hemmungslos bereit. Ich brauche Kaffee so notwendig zur Arbeit und wir haben überhaupt keinen mehr. (…) Viele herzliche Grüße, dein alter Ferdl.

Und die Trofaiacher versorgen ihn mit Fresspackerln, für die sich der arme Wahlberliner überschwänglich bedankt. »Hurra!« Aus Trofaiach aber kommt auch das nächste größere Unglück. Ferdl wird Stiefsohn einer beinahe gleichaltrigen Erbschleicherin. Ferdls Schadenfreude: Papa bekommt einen Hausdrachen mit Hasenscharte. Ebenfalls ein Unglück, das Ferdl 1939 ertragen muss, ist sein Professor Helmerding in *Aus erster Ehe*, ein österreichischer Biedermann, der in keinem Heimatfilm fader sein könnte. Nur die Außenaufnahmen entschädigen Ferdl. Sie sind sein Herbsturlaub. Er wohnt in dem teuren Hotel Tyrol in Innsbruck und schwelgt in Erinnerungen an seine ärmliche Hausdiener- und Klavierspielerzeit. Drehorte sind die Inn-Promenade, das Strandbad, eine Villa in Solbad Hall, der Berggasthof Speckbauer in Gnadenwald und der Luftkurort Mösern mit seinem herrlichen Blick in das obere Inntal sowie der Eichhof. Dieser liegt oben auf einer Almwiese, mitten im weiten, grünen Feld zwischen den Bergen, tief unter den schneeweißen Gipfeln, den Felsen, den Wald- und Wiesenhängen. Ferdl trägt eine wunderschöne Hirschlederhose und einen Lodenjanker mit einem Buschkawettel und hat mit seinem schief aufgesetzten Gamsbarthut etwas von der Ausgelassenheit heimischer Holzhackerbuben, die fressen, saufen, anhahneln und raufen wollen, sodass die Einheimischen den Nazikollaborateur für ihresgleichen halten. Was denn mit ihm los sei? »Kollege, ich bin eben glücklich!« Und das vierte Unglück, das 1939 über Ferdl hereinbricht, sind die anstrengenden Dreharbeiten zu seinem britischen Bösewicht, mit denen Ferdl eine Woche vor der ersten Kriegsweihnacht in Berlin beginnt. Ein Nachtlichterl wie er muss gleich nach Mitternacht aus

Der polnische Jude — Handelsjüd!

Ein alter Jüd. Sein Sinn ist gerichtet auf „Hanneln und Schachern", nach dem Motto:
„Lass dir schimpfiere, lass dir schippe, lass dir stusse, nure muss es bringa Geld."
Das Gesicht zeigt vorgerücktes Alter. In den Zügen liegt Schlauheit und Eigennutz. Besonders
hervorstechend ist die stark gekrümmte Nase. Zu ihr ist reichlicher Nasenkitt zu verwenden.
Das Auge ist tiefliegend, zu erreichen durch Dunkelgrau in den Höhlen. Starke buschige
Augenbrauen stoßen fast in Stirnmitte zusammen. Auffällig erscheint die hervorstehende
Unterlippe, die besonders charakteristisch ist für die angeborene Anlage des Juden zum
Handeln und Feilschen. Etwas Altrot auf den Wangen und sehr kräftige mit Weiß unterlegte
Falten geben der Maske das gewünschte Gepräge. Der schmucklose Vollbart erscheint lang
und ungepflegt. Die Frisur besteht aus einer Perücke mit großer Glatze, an der die
charakteristischen Locken seitlich nicht fehlen dürfen. Der Teint ist für Gesicht und
Glatze derselbe, am besten No. 5½ gemischt mit 6½.

Alltäglicher Antisemitismus auf deutschen Bühnen
Maske für einen alten Juden
Das Schminken in Theorie und Praxis,
Herausgegeben und verlegt vom Bund deutscher Barbier-, Friseur- und
Perückenmacher-Innungen , Berlin o. J.
[vor 1933]

Der „Judenblick"
(Programmheft für Antisemiten)

JUD SÜSS

SPIELLEITUNG: VEIT HARLAN

Drehbuch: Veit Harlan, Eberhard Wolfgang Möller
Ludwig Metzger · Musik: Wolfgang Zeller
Herstellungsleitung: Otto Lehmann · Bauten: Otto
Hunte, Karl Vollbrecht · Bild: Bruno Mondi · Regie-
assistenz: Wolfgang Schleif, Alfred Braun · Schnitt:
Friedrich Carl von Puttkammer, Wolfgang Schleif
Ton: Gustav Bellers · Aufnahmeleitung: Conny
Carstennsen, Herbert Sennewald, Kurt Moos · Fotos:
Erich Kilian, Karl Ewald · Tänze: Sabine Ress
Kostümentwürfe: Ludwig Hornsteiner · Kostüm-
anfertigung: Theaterkunst G. m. b. H., Kostümhaus
Verch · Titel: Trickatelier Radius

Darsteller

Jud Süß	Ferdinand Marian
Herzog Karl Alexander	Heinrich George
dessen Gemahlin	Hilde von Stolz
Rabbi Loew	Werner Krauß
Levy, Sekretär von Süß	Werner Krauß
Landschaftskonsulent Sturm	Eugen Klöpfer
Dorothea Sturm, dessen Tochter	Kristina Söderbaum
Aktuarius Faber, deren Bräutigam	Malte Jaeger
Obrist Röder	Albert Florath
von Remchingen	Theodor Loos
Fiebelkorn	Walter Werner
Frau Fiebelkorn	Charlotte Schulz
Minchen Fiebelkorn	Anny Seitz
Friederike Fiebelkorn	Ilse Buhl
Konsistorialrat	Jacob Tiedtke
dessen Frau	Erna Morena
Luziana, Maitresse des Süß	Else Elster
Hans Bogner, ein Schmied	Emil Heß
dessen Frau	Käte Jöken-König
Primaballerina	Ursula Deinert
Meister der Schmiedezunft	Erich Dunskus
Vorsitzender des Gerichts	Otto Henning
von Neuffer	Heinrich Schroth
Hausmädchen bei Sturm	Hannelore Benzinger

Ferner wirken mit: Ingeborg Albert, Annette Bach
Irmgard Völker, Valy Arnheim, Franz Arzdorf, Walter
Bechmann, Fred Becker, Reinhold Bernt, Louis Brody
Wilhelm Egger-Sell, Franz Eschle, Hans Eysenhardt
Bernhard Goetzke, Georg Gürtler, Oskar Höcker
Karl Iban, Willi Kayser-Heil, Franz Klebusch, Otto
Klopsch, Erich Lange, Horst Lommer, Richard Ludwig
Paul Mederow, Hans Meyer-Hanno, Arnim Münch
Edgar Nollet, Helmuth Passarge, Josef Peterhans
Friedrich Petermann, Edmund Pouch, Arthur Rein-
hardt, Wolfgang Staudte, Ernst Stimmel, Walter
Tarrach, Otz Tollen, Max Vierlinger, Hans Waschatko
Eduard Wenk, Otto Wollmann

Tonsystem: Tobis-Klangfilm

Ein Veit Harlan-Film der Terra

Herstellungsgruppe: Otto Lehmann

*„Die schöne junge Frau Gemahlin hat ihn freigebeten beim
Herrn Finanzienrat persönlich!"
(Illustrierter Film-Kurier, Seite 2)*

Antisemitische Szene, die im Film nicht vorkommt
(Illustrierter Film-Kurier, Seite 3)

»Ein Schweinestall ist das, kein Hof!«
»Der Jude spielt um Eure Töchter, und der Herzog hält die Bank!«
(Illustrierter Film-Kurier, Seite 4)

Bei seinem Regierungsantritt hatte Herzog Karl Alexander von Württemberg mit dem Eid auf die Verfassung das Versprechen abgegeben, daß in allen Dingen „nach der alten württembergischen Treue und Redlichkeit" verfahren werden soll. Aber bereits kurze Zeit darauf bekam der Herzog das Verlangen, es den liederlichen Souveränen der Nachbarländer gleichzutun, und er forderte eine Garde, eine Oper und ein Ballett. Die Landstände, an ihrer Spitze Landschaftskonsulent Sturm, lehnten das Ansinnen des Herzogs ab. Der wußte sich zu helfen. Er schickte Herrn von Remchingen, einen gefügigen Hofmann, nach Frankfurt zu dem Juden Süß Oppenheimer, und dieser nützte seine Chance. Heimlich wie ein Dieb schlich er über die württembergische Grenze und zeigte dem Herzog, wie man zu Gelde kommt. „Hat der Kaiser in Wien nicht auch seinen Juden, der ihm das Geld macht?" Und Karl Alexander machte Jud Süß zu seinem Finanzberater und erlaubte ihm, Steuern, Zölle und Brückengelder einzutreiben.
Die Württemberger murrten, aber die kleinen Rebellionen, die da und dort infolge der immer größeren Teuerung oder wegen der schroffen Methoden der Beamten des Juden aufflackerten, wurden mit grausamer Schärfe niedergeschlagen. So wurde der Schmied Hans Bogner gehängt, weil er, von dem Juden und seinen Helfern in seiner Existenz bedroht und, bis zum Äußersten gereizt, Gewalt mit Gewalt beantwortet hatte. Der Herzog war mit seinem Juden zufrieden. Süß verwandelte Württemberg in ein „Land, wo Milch und Honig fließt". Er fand immer neue Möglichkeiten, die kostspieligen Launen des Herzogs zu finanzieren, und Süß selbst kam nicht zu kurz dabei. Karl Alexander bezahlte die Kuppeldienste des Juden, der sich natürlich auch eine Maitresse leistete, mit immer neuen Privilegien und mit einem Freibrief, der ihn über Gesetz und Recht stellte. Der Judenbann wurde aufgehoben. Zu Hunderten zogen die Juden ins Land Württemberg, und Süß sorgte dafür, daß sie sich bereichern konnten. Umsonst machte sich Obrist Röder, ein Kriegskamerad des Herzogs, zum Fürsprecher der ausgeplünderten Bauern und Bürger. Karl Alexander wies ihn brüsk ab. Umsonst ermahnte der alte Rabbi Loew, der in den Sternen zu lesen verstand, Süß Oppenheimer: „Streng ist die Strafe des Herrn."

»Friedericke und Minchen Fiebelkorn, beide nicht über achtzehn.«
»Zeigt doch dem Herzog Ihre Beinchen.«
(Illustrierter Film-Kurier, Seite 5)

wenn die Juden vergessen, wer sie sind!" Süß ging seinen Weg
weiter, er wollte sogar Dorothea, die Tochter des Landschafts-
konsulenten Sturm, die mit dem Aktuarius Faber verlobt war, heiraten.
Sturm kam ihm zuvor, und Faber und Dorothea wurden ein Paar.
Unter dem Vorwand, Sturm habe eine Verschwörung gegen den Herzog
angezettelt, ließ Süß den Landschaftskonsulenten verhaften. Als die
Stände sich zum Widerstand gegen die Willkür aufrafften, löste der
Herzog sie auf und brach damit abermals das Gelöbnis, das er dem
Land Württemberg bei seinem Regierungsantritt gegeben hatte. Er
war, dem Rat des Juden folgend, entschlossen, sich mit einem Staats-
streich zum absoluten Souverän zu machen.
Damit zwang Süß seine Widersacher zum Handeln. Sie hatten bisher gezögert, aber jetzt mußten sie das Land aufrufen, und Faber

»Euer Ratgeber ist ein Mörder!«
»Er hat meine Frau in den Tod getrieben!«
(Illustrierter Film-Kurier, Seite 6)

ihr mit geheimen Ordern los. Doch schon am Stadttor wurde er verhaftet. In der Nacht war die Parole
gewechselt worden, und Faber stand nun als Landesverräter vor den Richtern. Er wurde, da er seine
Mitverschworenen nicht nennen wollte, der Tortur
unterworfen. In ihrer Angst eilte Dorothea zu dem
Juden Süß um Faber frei. Aber um welchen Preis?
Wenige Stunden nach seiner Freilassung trug Faber
seine junge Frau als Leiche aus dem Neckar.

Jetzt brach der Aufstand los! Obrist Röder übernahm
die Führung. Der Herzog, der in den letzten Tagen
am liebsten die Bahn verlassen hätte, auf die er durch
Jud Süß gedrängt worden war, benutzte die Anwesenheit des kaiserlichen Gesandten in Ludwigsburg, um
von Stuttgart abwesend zu sein und um Süß freie
Hand zum Staatsstreich zu lassen. Ein Schlaganfall warf
ihn um, mitten im rauschenden Trubel des Festes auf
Ludwigsburg, und sein Tod machte auch den Freibrief
zunichte, der dem Juden Generalpardon für alle seine
Schandtaten versprochen hatte. Süß, schon zur Flucht
bereit, wurde verhaftet.

Ihm wurde der Prozeß gemacht, die Richter verurteilten
ihn zum Tode, und die Zunft der Schmiede baute einen
Galgen eigens für den Juden, höher als alle Galgen
zuvor. Und innerhalb eines Monats hatten alle Juden
das Land zu verlassen.

»Wenn der Jude sein säuisches Wesen will treiben an unseren Frauen und
Töchtern, so ist's an Euch, mein Herzog, ihm das Handwerk zu legen!«
(Illustrierter Film-Kurier, Seite 7)

96

»Der Jude arrangiert wieder mal 'n Fleischmarkt, diesmal im Schloss, und
unsere Töchter sind gut genug, die Ware dafür abzugeben!«
(Illustrierter Film-Kurier, Seite 8)

Nr. 625   8. JAHRGANG

Das
PROGRAMM
von
HEUTE
mit KÜNSTLERPOSTKARTE

Jud Süß

Eine tragische love story
Programmheft für Liebhaber von Melodramen (Titel)

Jud Süß

DARSTELLER:

Jud Süß	Ferdinand Marian
Herzog Karl Alexander	Heinrich George
dessen Gemahlin	Hilde von Stolz
Rabbi Loew	Werner Krauß
Levy, Sekretär von Süß	Werner Krauß
Landschaftskonsulent Sturm	Eugen Klöpfer
Dorothea Sturm, dessen Tochter	Kristina Söderbaum
Aktuarius Faber, deren Bräutigam	Malte Jaeger
Obrist Röder	Albert Florath
von Remchingen	Theodor Loos
Fiebelkorn	Walter Werner
Frau Fiebelkorn	Charlotte Schulz
Minchen Fiebelkorn	Anny Seitz
Friederike Fiebelkorn	Ilse Buhl
Konsistorialrat	Jacob Tiedtke
dessen Frau	Erna Morena
Luziana, Maitresse des Süß	Else Elster
Hans Bogner, ein Schmied	Emil Heß
dessen Frau	Käte Jöken-König
Primaballerina	Ursula Deinert
Meister der Schmiedezunft	Erich Dunskus
Vorsitzender des Gerichts	Otto Henning
von Neuffer	Heinrich Schroth
Hausmädchen bei Sturm	Hannelore Benzinger

Ferner wirken mit: Ingeborg Albert, Annette Bach, Irmgard Völker, Valy Arnheim, Franz Arzdorf, Walter Bechmann, Fred Becker, Reinhold Bernt, Louis Brody, Wilhelm Egger-Sell, Franz Eschle, Hans Eysenhardt, Bernhard Goetzke, Georg Gürtler, Oskar Höcker, Karl Iban, Willi Kayser-Heil, Franz Klebusch, Otto Klopsch, Erich Lange, Horst Lommer, Richard Ludwig, Paul Mederow, Hans Meyer-Hanno, Arnim Münch-Edgar Nollet, Helmuth Passarge, Josef Peterhans, Friedrich Petermann, Edmund Pouch, Arthur Reinhardt, Wolfgang Staudte, Ernst Stimmel, Walter Tarrach, Otz Tollen, Max Vierlinger, Hans Waschatko, Eduard Wenk, Otto Wollmann

Spielleitung:
VEIT HARLAN

Drehbuch: Veit Harlan, Eberhard Wolfgang Möller, Ludwig Metzger / Musik: Wolfgang Zeller / Herstellungsleitung: Otto Lehmann / Bauten: Otto Hunte, Karl Vollbrecht / Bild: Bruno Mondi / Regieassistenz: Wolfgang Schleif, Alfred Braun / Schnitt: Friedrich Carl v. Puttkammer, Wolfgang Schleif / Ton: Gustav Bellers / Aufnahmeleitung: Conny Carstenssen, Herbert Sennewald, Kurt Moos / Fotos: Erich Kilian, Karl Ewald / Tänze: Sabine Reß / Kostümentwürfe: Ludwig Hornsteiner / Kostümanfertigung: Theaterkunst G.m.b.H., Kostümhaus Verch

EIN VEIT-HARLAN-FILM DER TERRA
Herstellungsgruppe: Otto Lehmann

Bürgerliche Hausmusik / Höfisches Fest im Spätbarock
(Das Programm von Heute, Seite 2)

Bei seinem Regierungsantritt hatte Herzog Karl Alexander von Württemberg mit dem Eid auf die Verfassung das Versprechen abgegeben, daß in allen Dingen „nach der alten württembergischen Treue und Redlichkeit" verfahren werden soll. Aber bereits kurze Zeit darauf bekam der Herzog das Verlangen, es den liederlichen Souveränen der Nachbarländer gleichzutun, und er forderte eine Garde, eine Oper und ein Ballett. Die Landstände, an ihrer Spitze Landschaftskonsulent Sturm, lehnten das Ansinnen des Herzogs ab. Der wußte sich zu helfen. Er schickte Herrn von Remchingen, einen gefügigen Hofmann, nach Frankfurt zu dem Juden Süß Oppenheimer, und dieser nützte seine Chance; Süß kam, glattrasiert und elegant gekleidet, über die Grenze und zeigte dem Herzog, wie man zu Gelde kommt. „Hat der Kaiser in Wien nicht auch seinen Juden, der ihm das Geld macht?" Und Karl Alexander machte Jud Süß zu seinem Finanzberater und erlaubte ihm, Steuern, Zölle und Brückengelder einzutreiben.

Die Württemberger murrten, aber die kleinen Rebellionen, die da und dort in-

folge der immer größeren Teuerung ode[r] wegen der schroffen Methoden der Be[-] amten des Juden aufflackerten, wurde[n] mit grausamer Schärfe niedergeschlage[n]. So wurde der Schmied Hans Bogner ge[-] hängt, weil er, von dem Juden un[d] seinen Helfern in seiner Existenz be[-] droht und bis zum Äußersten gereiz[t], Gewalt mit Gewalt beantwortet hatt[e]. Der Herzog war mit seinem Juden zu[-] frieden. Süß verwandelte Württember[g] in ein „Land, wo Milch und Honig fließt[".] Er fand immer neue Möglichkeiten, di[e] kostspieligen Launen des Herzogs z[u] finanzieren, und Süß selbst kam nicht z[u] kurz dabei. Karl Alexander bezahlte d[ ]

Kartenspieler / Bittstellerin / Oppenheimers Geschenk für den Herzog
(Das Programm von Heute, Seite 3)

100

Kuppeldienste des Juden, der sich natürlich auch eine Maitresse leistete, mit immer neuen Privilegien und mit einem Freibrief, der ihn über Gesetz und Recht stellte. Der Judenbann wurde aufgehoben. Zu Hunderten zogen die Juden ins Land Württemberg, und Süß sorgte dafür, daß sie sich bereichern konnten.

Umsonst machte sich Obrist Röder, ein Kriegskamerad des Herzogs, zum Fürsprecher der ausgeplünderten Bauern und Bürger. Karl Alexander wies ihn brüsk ab. Umsonst ermahnte der alte Rabbi Loew, der in den Sternen zu lesen verstand, Süß Oppenheimer: „Streng ist die Strafe des Herrn, wenn die Juden vergessen, wer sie sind!" Süß ging seinen

Weg weiter, er wollte sogar Dorothea, die Tochter des Landschaftskonsulenten Sturm, die mit dem Aktuarius Faber verlobt war, heiraten. Sturm kam ihm zuvor, und Faber und Dorothea wurden ein Paar. Unter dem Vorwand, Sturm habe eine Verschwörung gegen den Herzog angezettelt, ließ Süß den Landschaftskonsulenten verhaften. Als die Stände sich zum Widerstand gegen die Willkür aufrafften, löste der Herzog sie auf und brach damit abermals das Gelöbnis, das er dem Land Württemberg bei seinem Regierungsantritt gegeben hatte. Er war, dem Rat des Juden folgend, entschlossen, sich mit einem Staatsstreich zum absoluten Souverän zu machen.

Damit zwang Süß seine Widersacher zum Handeln. Sie hatten bisher gezögert, aber jetzt mußten sie das Land aufrufen, und Faber ritt mit geheimen Orders los. Doch schon am Stadttor wurde er verhaftet. In der Nacht war

Die Nötigung der Geliebten / Judengasse (»Zieh dich an, Rebekka«) /
Süß vor Gericht / Süß an seinem Schreibtisch im Schloss
(Das Programm von Heute, Seite 4)

101

die Parole gewechselt worden, und Faber
stand nun als Landesverräter vor den
Richtern. Er wurde, da er seine Mit-
verschworenen nicht nennen wollte, der
Tortur unterworfen. In ihrer Angst eilte
Dorothea zu dem Juden. Süß gab Faber
frei. Aber um welchen Preis? Wenige
Stunden nach seiner Freilassung zog
Faber seine junge Frau als Leiche aus
dem Neckar.

Jetzt brach der Aufstand los! Obrist
Röder übernahm die Führung. Der
Herzog, der in den letzten Tagen am
liebsten die Bahn verlassen hätte, auf die
er durch Jud Süß gedrängt worden war,
benutzte die Anwesenheit des kaiserlichen Gesandten in Ludwigsburg, um
von Stuttgart abwesend zu sein und um
Süß freie Hand zum Staatsstreich zu
lassen. Ein Schlaganfall warf ihn um,
mitten im rauschenden Trubel des Festes
auf Ludwigsburg, und sein Tod machte
auch den Freibrief zunichte, der dem
Juden Generalpardon für all seine
Schandtaten versprochen hatte. Süß,
schon zur Flucht bereit, wurde verhaftet.
Ihm wurde der Prozeß gemacht, die
Richter verurteilten ihn zum Tode, und
die Zunft der Schmiede baute einen Galgen eigens für den Juden, höher als alle
Galgen zuvor. Und innerhalb eines
Monats hatten alle Juden das Land zu
verlassen.

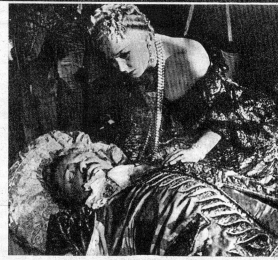

Bergung der Selbstmörderin / Tod des Herzogs
(Das Programm von Heute, Seite 5)

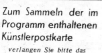

Nr. 1688

Verkündung des Urteils / Hinrichtung / Tanz des Hofballetts
(Das Programm von Heute, Seite 6)

103

Ferdinand Marian als Ghettojude, der sich assimilieren will

Antisemitische Karikatur eines Rabbiners (Werner Krauß)

Der Staatsmann

Der Geschlechtshungrige

Liebe auf den ersten Blick
»Ich glaube, so glücklich wie jetzt hier in Stuttgart neben Ihr, reizende
Demoiselle, so glücklich habe ich mich mein ganzes Leben noch nicht
gefühlt!«

Eine von Antisemiten gestörte Beziehung

Die sexuelle Nötigung der Geliebten

Antisemitische Teufelsfratze
(Plakat)

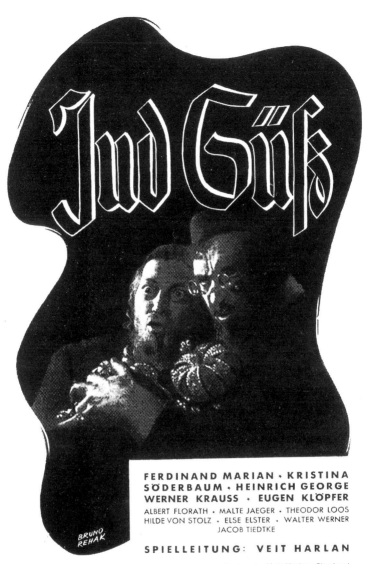

**FERDINAND MARIAN · KRISTINA
SÖDERBAUM · HEINRICH GEORGE
WERNER KRAUSS · EUGEN KLÖPFER**

ALBERT FLORATH · MALTE JAEGER · THEODOR LOOS
HILDE VON STOLZ · ELSE ELSTER · WALTER WERNER
JACOB TIEDTKE

SPIELLEITUNG: VEIT HARLAN

Drehbuch: Veit Harlan, Eberhard
Wolfgang Möller, Ludwig Metzger
Musik: Wolfgang Zeller

Wie der Jude immer wieder sich selbst die Schlinge um den Hals
legt, das wird hier zum eindringlichen Erlebnis

EIN VEIT HARLAN · FILM DER TERRA

*Nur für die Werbung: Marian und Krauß als raffgieriges und
latent homosexuelles Paar*

Der Jud Süß-*Film in den Köpfen der NSDAP-Ortsgruppe Johannstadt*

Antisemitische Sex-Ikone für Kinoanzeigen

Jud Süß

Ferdinand Marian • Kristina Söderbaum
Heinrich George • Werner Krauß • Eugen Klöpfer
Albert Florath • Malte Jaeger • Theodor Loos • Hilde
von Stolz • Else Elster • Walter Werner • Jacob Tiedtke

Spielleitung: Veit Harlan

Drehbuch: Veit Harlan, Eberhard Wolfgang Möller,
Ludwig Metzger • Musik: Wolfgang Zeller

Das Melodram

Ein Meisterwerk deutscher Filmkunst

Zur Erstaufführung des Veit-Harlan-Filmes „Jud Süß" in Posen am kommenden Donnerstag

Dorothea Sturm und Jud Süß, dargestellt von Kristina Söderbaum und Ferdinand Marian

Darstellung des Bösen

Ferdinand Marian über seine Rolle

In dem Aktuarius Faber (Malte Jaeger) und dem Juden Rabbi Loew (Werner Krauß) stehen sich zwei Welten gegenüber

Hofrat Süß Oppenheimer (Ferdinand Marian)

Vorauskritik in der von der Deutschen Wehrmacht besetzten polnischen Stadt Poznan (Posen)

116

EN FRANCE NON OCCUPÉE "*LE JUIF SUSS*" REMPORTE UN VÉRITABLE TRIOMPHE

Applaudissements frénétiques à Marseille et à Lyon

■

Marseille. — La présentation au « Pathé-Palace » de Marseille du film *Le Juif Süss* est, sans conteste, le grand événement de la saison; jamais un film n'a reçu un accueil aussi enthousiaste et n'a été applaudi avec autant de chaleur.

Dès la matinée du jeudi 24 avril, jour de sortie de ce film, l'affluence a été énorme et le public a ovationné le film à plusieurs reprises. Le soir, la salle était comble et l'assistance applaudissait à tout rompre, et chacune par l'accueil a été aussi enthousiaste.

La recette au premier jour s'est élevée à 24.000 fr.; le samedi à 42.000 fr., et le dimanche à 64.000 fr., de telle sorte que la recette de la semaine dépassa largement les 200.000 francs.

Devant l'affluence toujours croissante, le « Pathé-Palace » a décidé de garder le film une seconde semaine. Le public marseillais s'est montré particulièrement sensible à la beauté et à la grandeur de cette production prenante.

En même temps qu'à Marseille, *Le Juif Süss* a été présenté à la « Scala » de Lyon. Là aussi, ce film a remporté un succès absolument éclatant. A chacune des séances, la fin du film a été accueillie par des applau-

Toutes les colonnes de Marseille ont été recouvertes de l'affiche ci-dessus

dissements comme jamais l'on n'en a eu aux... rois. Devant ce succès considérable... « Scala » a assuré une deuxième semaine au film. Nombreux que le public de la France non occupée est maintenant... pour... grand bien du *Juif Süss*.

Cependant, la preuve la plus évidente du succès du *Juif Süss* est... importe... l'empressement que montrent un... nombre... de salles à programmer ce film. Dès après... premiers résultats de Marseille, leurs... aux, le film a été amené à Lyon à Toulouse, Nice, Cannes, Tunis, ... Avignon, Martigues, ... Dans la plupart de ces villes, *Le Juif Süss* sera présenté dès mai et sera à l'affiche 32 mai à Nice, 29 ...

Lorsque l'on connaît ... ché de la région ... ment compte du succès considérable que remporte *Le Juif Süss*, principalement en France méridionale.

Façade du « Pathé-Palace » sur la Canebière à Marseille

Le Juif Suss, *1941 ein Publikumsrenner im unbesetzten Frankreich*

117

Anno 1738

Am 4. Februar 1738: Auf dem Richtplatz von Stuttgart wird Joſef Süß-Oppenheimer, vom Volksmund Jud Süß genannt, hingerichtet. Die Strafe trifft einen, der ſechs Jahre lang als Finanzberater des Herzogs Karl Alexander von Württemberg das ſchwäbiſche Volk ausplünderte, in grenzenloſer Habgier. Von Leid und Empörung jener Tage erzählt der Film „Jud Süß".

Der Freitod der Dorothea Sturm,

... die ein Opfer des Hofjuden geworden war, gab den letzten Anlaß zur Entfeſſelung der Volksempörung. (Im Boot: Kriſtina Söderbaum und Malte Jaeger). Nach der Hinrichtung Süß-Oppenheimers wurde über ganz Württemberg der Judenbann verhängt; alle Juden hatten innerhalb eines Monats das Land zu verlaſſen.

Zwei Szenen aus dem Film „Jud Süß".
„Soll er mit dem Strang vom Leben zum Tode gebracht werden"

So lautete der Urteilsſpruch des württembergiſchen Schöffen-gerichtes, das dem Volkszorn gerecht wurde. Die Zunft der Schneider hatte für die Hinrichtung einen Käfig gebaut, ein-gehängt eines durch Jud-Süß ein Film dargeſtellt von Ferdi-nand Marian, unſchuldig hingerichteten ihres Standes.

200 Jahre ſpäter: Die Juden verlaſſen Krakau.

Nach der Beendigung des polniſchen Feldzuges war die Löſung der Judenfrage im Generalgouvernement eines der vordring-lichen Probleme. In kurzer Friſt wird Krakau, wo der Kampf gegen die jüdiſche Ueberfremdung nie abriß, Judenfrei ſein.

Mit der Eiſenbahn

... werden die Juden Krakaus, die bisher ein Viertel der Einwohner ausmachten, ihren neuen Aufenthalts-orten zugeführt. Andere wieder benutzen ...

Anno 1940

Aufnahmen: Associated Press (3)
Aufnahmen: Terra (2)

Pferd und Wagen zur Ueberſiedlung.

Ein jahrhunderte-langer Abwehr-kampf gegen das immer von neuem eindringende Ju-dentum findet ſei-nen Abſchluß.

Jud Süß *ist schon 1940 das Synonym für die antisemitische Hetze, mit der Auschwitz gerechtfertigt wird*

118

Please tear along perforation and
insert stub portion into cover.

Der Filmstar

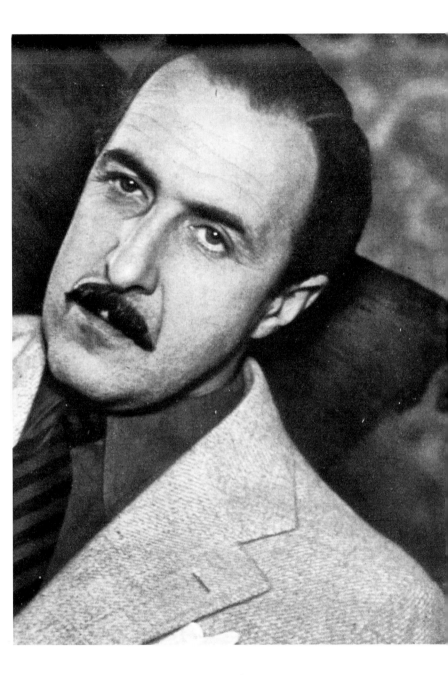

Filmkalender 1944

dem Bett, um rechtzeitig zum Schminken ins Atelier zu kommen. Die beiden Foxterrier begleiten ihr unausgeschlafenes Herrchen noch bis zu seinem Steyer auf der Straße. Und auf der entsetzlich langen Fahrt vom Roseneck nach Johannisthal, dem heutigen Adlershof, wird aus dem Schlaftrunkenen allmählich der böse Friedensrichter von Glenarvon, der ein doppeltes Spiel mit den um ihre Freiheit kämpfenden Iren treibt. Ferdls Gegenspieler in diesem Gott-strafe-England-Film ist der mit großem öffentlichen Trara von der Front für diesen Film beurlaubte Staatsschauspieler und Rittmeister Carl Ludwig Diehl, dessen Augen glänzen, wenn er von seinen Kameraden im besiegten Polen und von der Waffenbrüderschaft mit Stalin schwärmt. Diesen Angeber auf dem Set an die Wand zu spielen, ist für Ferdl wahrscheinlich das einzige Glück im Unglück dieser körperlich so anstrengenden Produktion. Aber Ferdls größtes Unglück im Jahre 1939 ist der Jude, den der neue Terra-Chef, der Doktor Peter Paul Brauer, ihm aufhalst. Es ist der *Süß* von Ludwig Metzger, eine Mischung aus Schiller, Hauff, Feuchtwanger und *Tosca*. Süß sitzt bereits in Amt und Würden und raubt rücksichtslos Land und Leute aus. Der hohe Staatsbeamte besitzt auch eine Tochter, die nicht Naomi heißt, sondern Lea – wie die Schwester bei Hauff – und die er mit dem Aktuarius Georg von Lanbek verheiraten will, weil dieser der Sohn seines größten Widersachers ist. Aber zu dieser Judenhochzeit kommt es nicht, weil sich die Schwaben erheben, nicht zuletzt angetrieben durch eine Wasserleiche. Die Selbstmörderin ist die Schwester eines Verschwörers, den Süß ins Gefängnis geworfen hatte und den sie dadurch befreite, dass sie sich von dem Juden schwängern ließ.

Ferdls Reaktion auf das Rollenangebot ist unmissverständlich. »Ich kannte den Stoff von Hauff und Feuchtwanger her«, hält Marian Jahre später in einer eidesstattlichen Erklärung fest,

und konnte mir vorstellen, in welcher Form er diesmal gebracht werden sollte. Deshalb lehnte ich die Rolle brieflich ab. Im Laufe der nächsten Woche hörte ich, dass Herr Brauer mit verschiedenen anderen Kollegen wegen dieser Rolle korrespondiere. Alle lehnten ab.

Ungefähr im September erhält Ferdl ein zweites Mal die Rolle angeboten. Wieder von Brauer. Dieses Mal liegt dem Brief sogar schon das Drehbuch bei. Der Jude ist jetzt Räuberhauptmann, Rächer und Retter der Enterbten, ein Karl Moor, der aber nicht viel taugt, jedenfalls schafft er es nicht, seine Bande von Kaftan-Juden über die schwäbische Grenze zu bringen. Aber er kann gut schwören. In der Nacht am Lagerfeuer im Wald prophezeit er: »In Samt und Seide werdet ihr gehen – 's kann sein morgen – 's kann sein übermorgen – aber ich hol' euch nach Stuttgart!« Der Jude in diesem Drehbuch erinnert sowohl an den Prinz als auch an den Kammerherrn in Lessings bürgerlichem Trauerspiel *Emilia Galotti*, die hier Dorothea heißt und ins Wasser geht und Süß an den Galgen bringt:

Wo aber ein Jud mit einer Christin sich fleischlich vermenget, soll er mit dem Strang vom Leben zum Tode gebracht werden, ihm zur wohlverdienten Strafe, jedermann aber zum abschreckenden Exempel!

Auch mit diesem Juden möchte Ferdl nichts zu tun haben. »Ich lehnte wieder ab und sandte das Buch zurück.«

Wieder verstrichen einige Wochen und ich hoffte schon die Sache los zu sein. Ungefähr im November aber kam Brauer ein drittes Mal an mich heran, und zwar telefonisch. Nachdem ich ihm nun mündlich eindeutig erklärt hatte, dass mir die Rolle vollkommen fern liege, und ich sie keinesfalls übernehmen werde, forderte mich Herr Brauer trotzdem zu einer persönlichen Besprechung auf, indem er erklärte, »es läge in meinem eigensten Interesse« und »mehr möchte er am Telefon nicht sagen«.

Beunruhigt von diesen dunklen Andeutungen verabredet Ferdl mit Brauer ein Treffen:

Diese Besprechung fand in einem der Büroräume der Terra statt und dauerte fast drei Stunden. Brauer hatte für ›Zeugen‹ gesorgt. Es waren abwechselnd ein Sekretär, ein Tippfräulein, dann wieder ein Dramaturg. Brauer versuchte zunächst, mir auf politischem Gebiet Fallen zu stellen, indem er z. B. mit freundschaftlichem Augenzwinkern erklärte, er könne sich ja denken, dass ich die Rolle aus politischen Gründen nicht übernehmen möchte. Er führe auch nicht gerne die Regie. Aber jetzt müssten wir eben alle etc. Ich leitete jedoch meine Weigerung, die Rolle zu übernehmen, immer wieder auf künstlerische Motive zurück und ließ mich nicht fangen. Plötzlich gab er mir ›vertraulich‹ den Rat, doch schnellstens P.[artei]G.[enosse] zu werden, da es ja doch bekannt sei, dass meine Frau in erster Ehe mit Julius Gellner (Jude) verheiratet war, und von ihm eine Tochter habe. Auf meine Frage, was das zu bedeuten habe, meinte er, »es könne für mich unangenehme Konsequenzen haben, die ich durch Eintritt in die Partei entkräften könnte«. Ich lehnte es ab, über derartig private Dinge zu sprechen, und wollte die Unterredung beenden. Nun sagte mir Herr Brauer, er könne meine Weigerung nicht annehmen, da es der ausdrückliche Wunsch des Ministers Goebbels sei, dass ich die Rolle übernehme. Ich erklärte ihm, dass ich ihm das nicht glaube, und erwarte, dass mir der Minister das selbst mitteile.

Das hat ein hoher Staatsbeamter selbstverständlich noch nie getan, und das tut der zum Reichsminister für Volksaufklärung und Propaganda aufgestiegene kleinbürgerliche Intellektuelle schon gar nicht. Stattdessen bekommt Ferdl die Einladung zu einer Probeaufnahme. Sie findet am Freitag, dem 17. November 1939 in Babelsberg statt. Ferdl erinnert sich Jahre später noch sehr genau an diesen konzentrierten Auftritt der Berufsbösewichte des deutschen Films:

Es waren das die Herren: René Deltgen, Richard Häußler, Rudolf Fernau, Paul Dahlke, Siegfried Breuer und ich. Die Probeaufnahmen fanden statt und wurden von uns allen glänzend sabotiert, Brauer, der als Regisseur kein großes Format besitzt, war unseren Finessen nicht gewachsen und so gelang es jedem Einzelnen, durch Maske (wir nahmen alle Zopfperücken) und Spiel seine Nichteignung für diese Rolle klarzumachen. Es war der einzig dastehende Konkurrenzkampf von sechs Künstlern, der schlechteste zu sein. Der Erfolg blieb nicht aus, denn Herr Goebbels wurde getäuscht. Ihm gefielen die Aufnahmen nicht (…).

Alle freuten sich. Der Kelch, oder wie immer dieses Ding in der Bibel heißt, war an ihnen vorüber gegangen. Ferdl feierte mit Engel die gute Nachricht. Aber er freute sich zu früh. Denn richtig war nur, dass die Aufnahmen Goebbels missfielen. Dass er getäuscht wurde, war ein Irrtum. Getäuscht wurden die Schauspieler. Denn ihr »Süß« mit Zopfperücke war keine Sabotage, sondern entsprach dem dokumentarisch angelegten Filmstil. Die Drehbuchautoren Metzger, Möller und Brauer und die Pressezeichner orientierten sich nicht an dem antisemitischen Judenbild der Gegenwart, sondern an den Stichen des 18. Jahrhunderts. Auf diesen besitzt Oppenheimer eine gewisse Ähnlichkeit mit robusten Landsknechten, sodass der

Frundsberg, den Ferdl bei den Probeaufnahmen zeichnete, kein falsches Porträt war. Gescheitert waren also nicht die Schauspieler, sondern das Konzept der Drehbuchautoren, denen Goebbels das Mandat unauffällig entzog. Das Unglück nahm also weiterhin seinen Lauf.

Irgendwann im Advent, zwischen Nikolaus und Christkind, wird erneut der Hofjude angeboten. Nicht in einem Brief. Nicht mit einem Drehbuch per Post. Es ist auch kein Telefonanruf. Es klingelt an der Wohnungstür in der Karlsbaderstraße. Und in der winterlichen Kälte steht nicht der Krampus. Auch nicht der Terra-Chef. Vor der Tür steht Veit Harlan. Vielleicht kommt er gerade von den Kindern seiner geschiedenen Frau, vielleicht ist er auf dem Weg dorthin, denn sie wohnen ja fast um die Ecke, jedenfalls kommt er mit einer ganz neuen Süß-Idee. Sein Film beginnt nicht im Wald an der schwäbischen Grenze, sondern in der Judengasse in Frankfurt am Main. Süß ist Juwelier. Er jüdelt nicht. Nur in Augenblicken höchster Erregung vergisst er sich und verfällt in das Idiom seiner Ghetto-Sprache. Jetzt freut er sich über die gelungene Verführung seiner Kunden. »Märchenhaft. Wirklich märchenhaft. Aber zu groß für uns.« »Zu groß für eine Herzogin?« »Wunderbar, wirklich wunderbar. Ich wage gar nicht zu fragen, was es kostet.« »50 000 Taler.« »Aber ich sage dir doch, mein Herzog hat nicht so viel Geld.« »Gut, 10 000.« »Und die restlichen 40?« »Wir werden uns verständigen.« »Wann denn? Wo denn?« »In Stuttgart.« »Nach Stuttgart kommt kein Jude rein.« Aber in der nächsten Szene hockt Süß bereits ohne Bart und in der Kleidung eines Christenmenschen hinter einem Steinhaufen im Wald und versteckt sich vor den schwäbischen Grenzposten. Er kriecht auf dem Bauch rückwärts auf der Erde und sucht Deckung. Er kommt bis zu einem Baum, richtet sich auf und rennt, was er kann, durch den Wald. Dabei wird er von den Grenzposten bemerkt und beschossen, aber nicht getroffen, erst auf der Höhe eines Berges trifft ihn eine Kugel an der Hand. Er kollert den Hang hinunter und fällt in einen Bach. Versteckt hinter einem Erlenstrauch wartet er ab, bis die Grenzposten ihre Suche aufgeben. Eine vorbeikommende Kutsche nimmt den triefenden Kavalier, dem niemand den Juden ansieht, mit nach Stuttgart.

Harlans Süß ist eine Doppelrolle, wie sie Ferdl gerne spielt. Auch schmeichelt es Ferdl, dass der berühmte Regisseur ihm diese Hauptrolle anbietet. Seine Filme werden sogar schon von dem gerade entstehenden Fernsehen gezeigt. Aber Ferdl wird von Harlan wie ein versoffener Hallodri behandelt. Er besitze zwar schöne große weiße Zähne, aber sei wohl zu faul, sich zu schminken. In dem Film *Morgen werde ich verhaftet* habe er seine Schläfen mit irgendeiner weißen Schmiere verklebt, sicher mit Clown-Weiß. Harlan duldet keine Widerrede. Er teilt Ferdl einfach mit, dass er ihn für den Geeigneten halte, dass Ferdl die Rolle zu übernehmen habe, weil es der Wunsch des Ministers sei.

Ich hielt ihm vor, dass wir noch nie zusammen gearbeitet hätten, dass er mich also künstlerisch gar nicht kenne, und dass also daher eine Behauptung, dass ich der Geeignete sei, sehr aus der Luft gegriffen zu sein scheint. Harlans Standpunkt erwies sich jedoch als unerschütterlich.

Aber auch Ferdls Entschlossenheit, die Rolle abzulehnen. Er versucht deshalb, einen Termin beim Minister zu erhalten. Und er wird empfangen:

In dieser Audienz erklärte ich Goebbels, dass ich gekommen sei, um ihn zu bitten, mich von dieser Aufgabe zu befreien, da ich sie künstlerisch nicht bewältigen könne. Goebbels wusste natürlich, aus allem Vorangegangenen, dass meine Bitte nicht aus künstlerischen, sondern aus weltanschaulichen Gründen kommt, und wurde nach kurzem Hin und Her sehr deutlich. Er sagte, indem er mit der Faust auf den Tisch schlug, schließlich: »Harlan hat die Regie dieses Films und damit die künstlerische Verantwortung. Er verbürgt sich für Ihre Eignung zu dieser Rolle. Das genügt mir. Den Film brauche ich. Und zwar sofort. Solche Filme werden jetzt laufend hergestellt werden. Aber ich wünsche in meinem deutschen Filmensemble keine Spezialisten für Judendarstellung zu züchten. Von heute ab müssen alle ran. Sie sind der Erste. Heil Hitler!«

Damit ist Ferdl entlassen und in einem Zustand der Verzweiflung, wie vor zwanzig Jahren, als er von zu Hause ausgerissen ist. Jetzt fährt er nach Hause, besäuft sich und demoliert seine Wohnung, um schließlich völlig betrunken nach einstündiger Raserei zusammenzusinken. »Es klingt theatralisch, wenn ich erkläre, dass ich aus Wut und Verzweiflung dem Selbstmord nahe war.« Weniger dramatisch erlebte Goebbels die Audienz. Er schreibt am Freitag, dem 5. Januar 1940, in sein Tagebuch:»Mit Marian über den Jud-Süß-Stoff gesprochen. Er will nicht recht heran, den Juden zu spielen. Aber ich bringe ihn mit einigem Nachhelfen doch dazu.«

Und die Hilfe, die Ferdl vom Minister bekommt, besteht in einer zweiten Probeaufnahme.

Vielleicht würde es mir gelingen, auch Harlan zu täuschen, und ein Zweitesmal den Minister. Ich setzte diese zweite Probeaufnahme beim Ministerium tatsächlich durch, weil es mir gelang, die Leute dort unsicher zu machen, indem ich ihnen nachwies, dass Harlan noch nie mit mir gearbeitet habe, und ich nicht begreifen könne, wie er gerade mich für den Geeigneten halten und in Vorschlag bringen konnte. Ich lehnte jede Verantwortung für das Gelingen der Rolle und des Filmes ab und erklärte immer wieder, dass ich diese Rolle nicht bewältigen könne, da sie mir wesensfremd sei. Bei dieser zweiten Probeaufnahme gelang mir aber die Sabotage nicht. Es begann schon bei der Maske, die ich mir nicht, wie das erste Mal, selbst frei wählen konnte, da sie diesmal Harlan bestimmte. Ich durfte keine Zopfperücke nehmen, sondern es wurden mir jüdische Schläfenlocken und der typische Kinnbart geklebt. Man setzte mir ein Käppi auf und zog mir einen Kaftan an. Rein optisch schon war diese Maske bei meinem Typ schlagend. Die ganze Probeaufnahme stand überhaupt nur auf dem optischen Eindruck, da ich den einzigen Satz zu sprechen hatte:»Ich denke Württemberg ist reich?« – So hatte ich überhaupt keine Gelegenheit, mit schauspielerischen Mitteln zu sabotieren.

Goebbels sieht sich die Muster nach einem langen Tag im Ministerium noch an und schreibt am 18. Januar 1940 in sein Tagebuch: »Probeaufnahmen Marian zum *Jud Süß*. Ausgezeichnet. Sehr spät nach Hause. Mit Magda und den Kindern gespielt ...«

Nur Ferdl will nicht mitspielen, er lehnt die Rolle immer noch ab, was die Journalisten ahnen, aber nicht berichten dürfen. So schreibt der *Film-Kurier* am 17. Januar 1940:

Die Titelrolle des Jud Süß ist noch nicht besetzt, – die Auswahl ist hier auch wirklich nicht leicht, denn Harlan will es sich – wie er sagt – durchaus nicht etwa leicht machen und hierfür etwa einen Typ einsetzen, der in Maske und Rollengestaltung nur etwa auf einen der üblichen Geschäfts-Juden herauskäme –, sondern ihn muss eine Persönlichkeit darstellen, der man wirklich den

Finanzberater eines Fürsten glaubt und der dennoch kalt und beziehungslos eben die fremde Rasse repräsentieren kann. (Hierbei dürfte gerade ein bekannter Darsteller wohl am wenigsten Gefahr laufen, mit seiner Rolle irgendwie gefühlsmäßig identifiziert zu werden. Auch der einfache Beschauer, der sonst ›den Intriganten nicht leiden kann‹, wird die künstlerische Selbstüberwindung erfühlen können, die hier immerhin vonnöten ist.)

Und Goebbels *Angriff* meint am 18. Januar:

Ein Darsteller für den Jud Süß wird noch gesucht. Er muss die weltmännische Eleganz des assimilierten Juden mit der hintergründigen Dämonie und Kälte des geldgierig-sinnlichen Hebräers verbinden. Jud Süß ist ein Jude, der seine Rasse verleugnet, um hinter den Kulissen für sie zu wirken. Er ist der ›getarnte‹ Jude mit den zivilisierten Umgangsformen und der noblen Lebensführung. Das typisch Jüdische ist bei diesem vielfachen Millionär, der einen Aktuar foltern lässt und seine Braut vergewaltigt, nach innen verlagert.

Am 24. Januar heißt es im *Neuen Wiener Tagblatt*:

Süß benimmt sich, so weit er es kann, wie ein Arier. Darum eben ist die Figur ja so unendlich schwer zu besetzen, und darum steht die endgültige Besetzung hierfür noch aus.

Marian zeigt einen geschlechtshungrigen Aufsteiger, der sich seiner jüdischen Herkunft schämt (1940)

Im ersten Kriegswinter friert ganz Berlin. Die Kinos und Theater machen dicht. Auch die Ufa-Stadt schließt für Wochen im Januar und Februar 1940 ihre großen Hallen, ja sogar das Klebehaus. Aufrechterhalten wird nur ein Notdienst, die Lohnbuchhaltung und die Kasse. Die Leute werden nicht entlassen, müssen aber ihren rückständigen oder künftigen Urlaub in diesen Wochen nehmen. Die Dreharbeiten werden immer wieder verschoben, aber nicht nur wegen der Kälte, sondern auch wegen der komplizierten Vertragsverhandlungen mit Ferdl. Der hat sich mittlerweile widerwillig in sein Los gefügt. Von allen Gründen, die ihn dazu bewegt haben, die Rolle schließlich doch noch anzunehmen, liegt der wohl entscheidende in dem in der Adoleszenz so tief eingeschliffenen Schema vom Immer-wieder-Aufbegehren und letztlich doch Immer-wieder-Unterordnen unter die Autorität begründet. Als endlich der erste Ateliertag zu Ende geht – es ist der Freitag vor Palmsonntag –, beginnt das Terminchaos von vorne. Denn zwei der Schauspielerkollegen, mit denen Ferdl in zahlreichen Szenen vor der Kamera steht, sind hohe Theaterfunktionäre im faschistischen Deutschland: Heinrich George und Eugen Klöpfer. Und beide haben durch diese Ämter immer wieder volle Terminkalender. Anpassen muss sich Ferdl auch an die Verpflichtungen von Werner Krauß und an die theatralischen Siegesfeiern Hitlers, der mit ›Blitzkriegen‹ von April bis Juni 1940 halb Europa unterwirft. Aber Ferdl stört das Termintheater seiner großen Kollegen nicht, denn er beherrscht ja nicht nur seine Rolle, sondern meist auch die seiner Partner so perfekt, dass er jede beliebige Szene zu jedem beliebigen Zeitpunkt spielen und beliebig oft wiederholen kann. Die meisten Aufnahmen werden in Babelsberg gedreht, in der großen Halle und auf dem Freigelände, der Einzug der Juden und die Synagogenszene in den Prager Barrandow Studios.

Die erste Aufnahme, die von Ferdl im Film zu sehen ist, zeigt ihn als Kaftanjuden. Die Szene spielt in der Dekoration der Frankfurter Judengasse. Ferdl steht in einem finsteren Loch, eingezwängt von Möbelstücken, aber würdevoll, ein dunkler, geheimnisvoller Mann, ein Zauberkönig aus dem Morgenland, wie er ihn in Märchenstücken und in Zauberpossen von Raimund und Nestroy gespielt hat. Seine betont aufrechte Körperhaltung, die bewusste Streckung des Oberkörpers, erinnert an seinen Beduinen mit Hans Albers (*Peer Gynt*), aber auch an den fremden Don Pedro mit Zarah Leander (*La Habanera*). Die Schläfenlocken, die sich Ferdl angeklebt hat, der lange schüttere Gabelbart und das Käppi auf dem Kopf machen allerdings sofort klar, dass er einen orthodoxen Juden zeigen will, einen noblen noch dazu, einen wohlhabenden Händler, das soll der Kaftan signalisieren, der kein billiger schlottriger Weiberkittel ist, sondern ein teurer aus britischem Kammgarn mit breiten Revers, sodass er etwas vom Gehrock eines Hofbeamten an sich hat. Langsam, mit lässig förmlichen Gesten öffnet Ferdl den mit Eisen beschlagenen Tresor und bringt mit dem Funkeln Hunderter von Edelsteinen Licht in das schwarze Dreckloch von Zimmer, in dem er mit seinem Diener und einer Exzellenz aus Württemberg in einem Verkaufsgespräch steht. Wenige Sätze machen klar, dass dieser wohlhabende Jude aus dem Dreck der Judengasse heraus will und bereit ist, jeden Preis dafür zu bezahlen: Verluste bei den Edelsteinen hinzunehmen, wenn er dafür einen Reisepass vom Herzog bekommt. Zionistische Versprechungen zu machen, damit die jüdische Gemeinde den Mund hält. Dass Süß aus der Judengasse raus will, weil er sich für das Leben dort schämt, ist für Ferdl in dieser Kulisse so selbstverständlich, dass er so echt wie möglich wütend wird und jeden – in einer Art infantiler Initialreproduktion – jüdelnd zurechtweist, der ihn daran erinnert, dass er auf seine Judenklamotten verzichten muss, wenn er außerhalb der Judengasse wer sein will:

Zerbrechen Sie sich nicht den Kopf, Exzellenz. Mein Äußeres übernehme ich – und für den Pass sorgen Sie! Der Herzog kriegt seinen Schmuck, aber nur, wenn ich ihn selber kann bringen!

Und so geschieht es auch. In seiner nächsten Szene sitzt Ferdl bereits in einer Kutsche und lässt sich nach Stuttgart fahren, nichts an seinem Äußeren erinnert an den Menschen aus der Judengasse, nichts an seiner Sprache, an seinen Gesten, nur, dass er sich wie ein frisch Rasierter ans Kinn fasst. Der hessische Kerker liegt hinter ihm. Die neue Freiheit wird von Ferdls Süß so sehr genossen, dass er den Rossknecht zu immer größerer Eile antreibt und in das Schwabenland förmlich hineingaloppiert. Aber bei einem Überholmanöver mit einer jungen Kutscherin stürzt seine Kutsche in den Graben, Ferdl fliegt durch die Luft und die wilde Jagd ist zu Ende. Aber er bleibt unverletzt und wird von der jungen Schwäbin mitgenommen, die offensichtlich mit Pferden besser umgehen kann und auch keine Angst hat, allein durch einsame und unwirtliche Gegenden zu kutschieren und wildfremde Männer einzusammeln. Diese knabenhafte Frau spielt Kristina Söderbaum. Die Zügel fest in der Hand, fragt sie Ihn neugierig aus. Er sei doch sicher viel gereist, nicht wahr? Ob er Paris kenne? – »Ja«. – Versailles? – Och, da beneide sie Ihn! Wo er denn sonst überall gewesen sei? – »London, Wien, Rom, Madrid – « – Ach! – »Lissabon – «. Ach du lieber Gott, das sei ja beinah' die ganze Welt. Wo es denn am schönsten gewesen sei, sie meine, wo er sich – so am meisten zu Hause gefühlt habe? – »Zu Hause? Überall!« – Überall? Ob er denn keine Heimat habe? »Doch! Die Welt.« Ach Unsinn, irgendwo müsse er sich doch am glücklichsten gefühlt haben? – »Ich glaube, so glücklich wie jetzt hier in Stuttgart neben Ihr, reizende Demoiselle, so glücklich habe ich mich mein ganzes Leben noch nicht gefühlt!«

Es ist körperliche Liebe auf den ersten Blick, polymorph wie zwischen Tieren und Kindern, was die beiden Schauspieler, so gut sie es können, zu zeigen versuchen, ein spontanes, instinktives Zusammengehörigkeitsgefühl zwischen zwei Fremden, auf das sie mit verschiedenen Berührungen hinweisen, mit ihren Oberschenkeln, die sich beim Sitzen nahe kommen, mit den Händen, der Schulter, mit den Köpfen, die sie einander zuneigen: Kristina Söderbaum mit dem ihr eigenen offenen Blick. Und Ferdl mit einem ehrlichen Gesicht, das er im Film zum ersten Mal bei seinem russischen Prinzen im *Hochzeitstraum* benutzte, danach auch noch in *Nordlicht* und in dem Heimatfilm *Aus erster Ehe*. Und dass dabei auch ihre inneren Organe mitschwingen, bringen die beiden Künstler mit dem Atem ihrer Stimmen zum Ausdruck. Ferdl nimmt den schwe-

dischen Tonfall der Söderbaum auf, transponiert ihn ins Österreichische und verwandelt das Rezitativ in eine Arie. Die Begeisterung der beiden für einander ist so groß, dass die junge Amazone
ihre Reisebekanntschaft mit nach Hause nimmt und ihren beiden
Männer in der Diele vorstellt, ihrem Vater und einem eifersüchti-
gen Verlobten, der aber mit einem einzigen antisemitischen Blick
den Traum von der großen Liebe zwischen den einander Fremden
zerstört.

»Das ist doch ein Jude, der Herr Oppenheimer aus Frankfurt!«
»Unsinn, sie haben ihn ja am Stadttor ohne weiteres durchgelas-
sen?« »Ich irre mich nicht, das ist ein Jude!« Der junge Antisemit
geht auf Süß zu. »Mein Herr, ich möchte Euch empfehlen, die nächste Post nicht zu versäumen!« »Warum? Es eilt mir nicht, ich habe
noch Geschäfte in Stuttgart. Im Gegenteil, ich wollte mich eben
erkundigen, ob er mir einen guten Gasthof empfehlen kann.« »In
der Residenz Stuttgart gibt es keine Judenherbergen!«

Das sitzt. Ferdl senkt betroffen den Blick. Ergreifend ist die
Scham und das Gefühl der Schande, mit dem Ferdl auf diese Ent-
larvung reagiert. In seinem Gesicht werden Schmerz und Bitterkeit
eines Menschen sichtbar, der seit seiner Kindheit gedemütigt
wurde, weil er Jude ist. Und der sich deswegen vor sich selbst
schämt. Mit niedergeschlagenen Augen und gesenktem Kopf,
zugleich aber mit betonter Höflichkeit, die ihn vor dem antisemitischen Flegel schützt, antwortet Ferdl. Es ist eine Höflichkeit, die
unter den deutsch sprechenden Schauspielern nur Österreicher
beherrschen:

Mein Kompliment zu Ihrer Menschenkenntnis, mein Herr, aber ich bin der liebenswürdigen Demoiselle zu so großem Dank verpflichtet, dass sie verstehen
wird, wenn ich die entsprechende Antwort schuldig bleibe.

Mit dieser Anwort macht Ferdl aus dem Spiel ein Kolloquium über
den Antisemitismus, der die Liebesgeschichte zwischen dem Juden
und der Christin unterbricht, aber nicht beendet. Denn der Jude
gibt nicht auf. Auf einem Maskenball im Schloss bekommt er Gelegenheit, seine Liebeswerbung fortzusetzen. In dieser Wiederse-
hensszene zeigen Ferdl und die Söderbaum, dass die Beziehung
zwischen Süß und Dorothea immer noch durch den Unterleib

bestimmt wird. Wo immer sie gehen und stehen, suchen sie körperliche Berührung. Außerdem demonstrieren sie, dass sich in der Zwischenzeit der Kopf zu Wort gemeldet hat, nämlich das antisemitische Vorurteil, das sich zwischen die beiden drängt. Kristina Söderbaum bringt es mit einem sprunghaften Wechsel zwischen Sympathie und Ablehnung zum Ausdruck. Und Ferdl mit einer Doppelrolle. Mal zeigt er die neurotische Verletzbarkeit eines assimilierten Juden, der sich seiner Herkunft schämt, mal die naturburschenhafte Leidenschaft für ein Jungfernbratel, was Ferdl darzustellen leicht fällt. Denn Kristinas Dekolleté ist so groß, dass ihre vollen Brüste zum Vorschein kommen. Und sie kann auch überzeugend am ganzen Leib zittern und damit sehr realistisch die Erregung sichtbar machen, in die Dorothea durch das Wiedersehen mit Süß versetzt wird, was Ferdl mit gierigen Blicken und einem intensiven nassen Kuss auf ihre nackten Schultern erwidert. »Sie hat gewiss nicht erwartet, mich so bald wieder zu sehen – und in dieser Umgebung.« »Ich hätte es auch nicht gewünscht!« »Oh – warum ist dieser schöne Mund so ernst? Eigentlich hoffte ich, ihn heute wieder lachen zu sehen, wie damals im Wagen.« »Er wollte doch tanzen!« »Heiße Lippen, kaltes Herz – heißt es nicht so? Oder – kann Ihr Herz das halten, was Ihr Mund verspricht?«

Dabei läuft für Augenblicke das Strahlen eines von Schande und Schmach Erlösten über Ferdls Gesicht, das er für ähnlich hohe Gefühlslagen immer wieder aufsetzt, in *La Habanera*, in *Nordlicht*. Ferdls Abgehobenheit erwidert Kristina Söderbaum mit einem unsicheren Wechsel zwischen Wollust und antisemitischer Ablehnung. Schließlich reißt sie sich von ihm los und kommandiert mit rauer Männerstimme: »Lass er das!« »Will die Demoiselle jetzt tanzen?« »Nein, nicht mehr!«

Aber Süß gibt nicht auf. Er liebt Dorothea, will sie heiraten und hält bei deren Vater um ihre Hand an, beim Landschaftskonsulenten Sturm, der von dem Schwaben Eugen Klöpfer gespielt wird, Deutschlands gefühlvollstem Vaterdarsteller. Süß hat ihn zu sich in sein Büro im Schloss gebeten, was seiner inzwischen gehobenen Stellung bei Hofe entspricht. Immerhin ist er Finanzienrat, ein Hofbeamter, den nachzumachen Ferdl leicht fällt, weil er diese Sorte Mensch in der Wiener Hofoper beobachten konnte. Der Vater lehnt die Brautwerbung ab, was Klöpfer mit einem Antisemitismus zum Ausdruck bringt, der so sicher und verletzend über seine Lippen kommt, dass Ferdls Finanzienrat zu keiner hochdeutschen Replik fähig ist, sondern, sich seiner Jüdischkeit schämend, ins Jüdeln verfällt. Ferdl referiert förmlich: »Er wird nicht sagen Nein, er wird sagen Ja und nochmal Ja, wenn er sich wird die Sache reiflich überlegen.«

Mit heiserer Stimme gibt er Sturm Bedenkzeit und steht nach deren Ablauf pünktlich in der Wohnung der Familie Sturm, um sich die Antwort des Vaters zu holen. Er bekommt sie. Sie ist die Antwort eines Mannes, dem jemand sein erotisches Spielzeug wegnehmen will, seine kleine Frau, die ihm seine Gattin ersetzt, und der deshalb antwortet: »Meine Tochter wird keine Judenkinder in die Welt setzen.«

Dieser Antisemitismus eines deutschen Familienvaters wird von dem Sympathie und Wohlwollen ausstrahlenden Schwaben Eugen Klöpfer so gewaltbereit zum Ausdruck gebracht, dass Ferdls Süß wie vor einem tätlichen Angriff zurückweicht, mit Todesangst, bleich und mit von Entsetzen aufgerissenen Augen fragt: »Woher nimmt er eigentlich den Mut zu dieser Frechheit?« Aber das Ungeheuer der deutschen Familie ist nicht zu bremsen. Drohend geht der dicke Klöpfer auf Ferdl los, packt ihn am Kragen, schüttelt ihn und brüllt:

Himmelherrgottsakrament, ich stehe hier als Vorsitzender der Landschaft, und in dieser meiner Eigenschaft frage ich Euch: Woher nehmt Ihr eigentlich die Frechheit, einzubrechen in den Frieden meiner Familie, wie Ihr einbrecht in den Frieden dieses Landes ... Woher nehmt Ihr die Frechheit, dem Herzog zu raten, er soll gegen die Verfassung handeln, ja woher nimmst du die Frechheit, du Scheißkerl, Zwietracht zu säen zwischen dem Herzog und seinem Volk?

Klöpfer schmeißt Ferdl zur Tür hinaus, reißt das Fenster auf und brüllt: »Frische Luft!« Nach einer solchen Erniedrigung hätte Ferdl längst aufgegeben, aber nicht Süß. Von ihm lernt Ferdl Selbstachtung kennen, die durch keine Erniedrigung ausgelöscht wird. Süß kämpft für seine Liebe und schreckt dabei auch nicht mehr vor der antisemitischen Gewalt zurück. Er lässt Sturm verhaften, in der

Hoffnung, Dorothea mit dem gefangenen Vater erpressen zu können. »Bitte, lassen Sie doch endlich meine Tochter aus dem schmutzigen Spiel!« »Warum? Warum soll ich sie lassen? Warum soll ich sie nicht fragen? Vielleicht hat sie ein Herz für die Leiden ihres Vaters?«

Ferdl zeigt nun einen eleganten Intriganten, einen Jago, der für seine Sache kämpft und dabei auch vor Gewalt nicht zurückschreckt und sich auch seines Judentums nicht mehr schämt. Er jüdelt kaum. Dass er Jude ist, hat er vergessen. Der Antisemit sitzt im Gefängnis und muss vor ihm kuschen. Süß kann also in Ruhe darauf warten, dass die Tochter zu ihm kommt, ihren Vater frei zu betteln.

Und Dorothea kommt in Oppenheimers Palais, mit einem Bittgesuch nicht nur für ihren Vater, sondern auch für ihren Verlobten, der inzwischen ihr Mann ist und von Süß ebenfalls verhaftet wurde. Diese Szene ist der Höhepunkt des Films. Der Pomp der Kulissen erinnert an die Ausstattung von großen Opern. Auch die Kostüme der Darsteller, die Requisiten. Ferdl und die Söderbaum spielen mit viel Konzentration. Jede Einstellung mehrere Male. Kristina Söderbaum versteckt ihre reizvollen Rundungen und ihr blondes Haar unter schlichten Tüchern. Nichts an ihrem Leib soll den Juden sexuell erregen. Ferdl dagegen ist ganz nobler Lebemann, wie er ihn schon oft gespielt hat. Er sitzt beim Frühstück und trägt einen reich verzierten Morgenmantel, wie er ihn vielleicht als Potiphar in der Tanzdichtung *Die Josephslegende* trug. In dieser Nebenrolle hatte er Gelegenheit, Pracht, Schönheit und Lebenskunst des Morgenlandes auf der Opernbühne zu genießen. Diese ist prunkvoll ausgestattet, üppig, schwül, voll von seltsamen Düften und Geschöpfen wie ein tropischer Garten. Süß fühlt sich sichtbar wohl in seinem Luxus, und Ferdl zeigt, dass sein Süß Dorothea immer noch körperlich liebt, dass die ihm entgegengebrachte antisemitische Aggression seine physische Liebe für sie nicht verkümmern ließen. Und Kristina Söderbaum zeigt eine ängstliche Dorothea, die seine Lockerheit sucht, seine beruhigende Leibeswärme spüren will. Beide Schauspieler versuchen einander zu überzeugen, dass das animalische Grundvertrauen, das Dorothea und Süß bei ihrer ersten Begegnung auf der Landstraße zu einander entdeckten, immer noch existiert, dass sich aber in der Zwischenzeit die

Gefühle verwirrt haben, durch Dorotheas antisemitisches Vorurteil und durch Oppenheimers rasanten sozialen Aufstieg. »Ich flehe Sie an, Exzellenz, helfen Sie mir! Ich habe alles aufgeschrieben. Hier – hier ist das Bittgesuch!« Ferdl nimmt es, steht langsam auf, geht an der Söderbaum vorbei, schließt die Tür, kommt wieder zurück und zerreißt das Bittgesuch mit erschreckender Gleichgültigkeit. »Was soll denn der Herzog mit deinem Bittgesuch? Er wird's zerreißen, – so wie ich das tu'. Er wird die Hochverräter erschießen lassen.« »Barmherzigkeit! Habt Ihr denn kein Herz?« »Ich hab' ein Herz gehabt – ich bin barmherzig gewesen, immer, Demoiselle, Pardon – Madame.«

Auf diese Anspielung reagiert Kristina Söderbaum sofort mit einem Blick auf ihren Ehering, als ob er ihr helfen könne, was Ferdl sofort bemerkt, und er tut so, als ob er dieses Kleinod als Preis für seine Fürsprache beim Herzog haben möchte: »Ein netter Ring. Von Ihrem Gatten?« »Will er den Ring? Es ist ein echter Stein.«

Die Schnelligkeit, mit der Dorothea bereit ist, den Ring ihres Gatten dem Liebhaber an den Finger zu stecken, deutet Ferdl im Sinne eines erotischen Angebotes und fordert sie deshalb auf, mit ihm ins Schlafzimmer zu kommen, wo er ihr einen großen Ring zeigen will. Kristina Söderbaum zögert, aber folgt trotzdem. Im Schlafzimmer umarmt Ferdl sie von hinten und hält ihr den Ring vor das Gesicht: »Seh' Sie mal den an, wie? – Seh' Sie sich den an! Glaubt Sie immer noch, dass Sie mich mit ihrem Ringlein locken kann? Mich! – Will Sie den haben, hm?«

Statt einer Antwort kommt es zu einem Handgemenge zwischen den beiden, das Süß verlieren muss, weil er mit Gewalt das körperliche Grundvertrauen der Geliebten verletzt. Die kleine, aber kräftige Söderbaum befreit sich mit einem so heftigen Ruck aus Ferdls Umklammerung, dass dieser sein Gleichgewicht verliert und wie ein Kleiderständer umfällt, ein kostbares Rokokotischchen zertrümmernd.

Erfolgreicher als mit körperlicher Gewalt ist Süß dagegen mit seiner Tosca-Idee, Dorothea ins Bett zu kriegen. Süß lässt den frisch vermählten Ehemann so lange foltern, bis dessen Schreie die noch jungfräuliche Gattin dazu bringen, mit dem Juden die Hochzeitsnacht zu verbringen. Doch während Tosca den verhassten Polizei-

135

chef Scarpia ersticht, weigert sich Dorothea nur halbherzig. Sie empfindet seit ihrer ersten Begegnung instinktiv Liebe für Süß und betet deshalb zu Gott, ihr zu vergeben. »Vater im Himmel – – –!«

Diese Bitte um Vergebung für eine noch nicht begangene Sünde enthält eine Bereitschaft zur Sünde, was von Süß nicht erkannt wird. Ein tragisches Missverständnis. Nun geht es nicht mehr um Liebe, sondern um Vorurteile. Süß kontert Dorotheas Gebet mit einem Gegengebet: »Bete nur, bete nur zu deinem Gott, bete nur! Aber nicht nur ihr Christen habt einen Gott. Wir Juden haben auch einen und das ist der Gott der Rache. Auge um Auge, Zahn um Zahn! Bedank' Sie sich bei ihrem Vater.« »Lass er mich hinaus!« »Will Sie nicht, dass ich soll machen, dass die Hochverräter nicht erschossen werden?« »Rühr' er mich nicht an!« »Genier' Sie sich doch nicht – hernach kannst du deinen Aktuarius wiederhaben.«

Ferdl und Kristina Söderbaum spielen diese Szene ohne Anstrengung. Die beiden Künstler zeigen in jedem Moment, dass es noch immer sehr viel körperliche Anziehung zwischen Süß und Dorothea gibt, die gewaltsam alle antisemitischen Vorurteile wegräumt und ihr Ziel erreicht, die geschlechtliche Vereinigung.

Diese Liebesgeschichte zwischen zwei Fremden, die so harmlos begann und so tragisch endet, wird immer wieder unterbrochen und vorangetrieben durch das aufwendige Lotterleben des Herzogs, das Süß zu bedienen hat, mal in der Rolle des jüdischen Kleinhändlers, mal als frecher Zuhälter, mal als Bankier, mal als Intrigant. Aber keine dieser Rollen spielt Ferdl mit einer Judenmaske, er zeigt vielmehr einen Mann, der von unten kommt und nach oben will und dafür eine Menge in Kauf nimmt. Er liefert dem lüsternen Herzog kostbaren Schmuck, mit dem dieser Liebesdienste bezahlt. Er kauft dem Herzog ein Ballett, das dieser als Fleischreservoir benutzt. Süß besorgt ihm auch eine virile Leibgarde, an der der alternde Feldherr sich erregen kann. Und Joseph Süß Oppenheimer liefert dem Herzog minderjährige Jungfrauen: »Friedericke und Minchen Fiebelkorn, beide nicht über achtzehn«. »Zwei Buschwindröschen, hm?« »Aber Minchen, wer wird denn so verschämt, versteckt unter den Neidischen sein? Zeigt doch dem Herzog ihre Beinchen.« Der Rock von Minna wird hochgehoben. »Nicht weinen, Minchen, nicht weinen. Willst du deinem alten Herrn das Tanzen lehren?«

136

Und weil der Herzog diese luxuriöse Form von Sexualität nicht bezahlen kann, erfindet Ferdls geistreicher Süß ein staatliches Geldauffanggerät nach dem anderen für den feudalen Habenichts: Steuern, Zölle und Brückengelder und erreicht beim Herzog auch, dass Juden in Schwaben leben dürfen und rechtlich den Christen gleichgestellt werden. Die Juden, die darauf mit Sack und Pack in Stuttgart einziehen, sind tatsächlich Juden, mittellose jüdische Emigranten, Kammersänger aus Berlin, Dresden und Leipzig, alles Leute mit einst bekannten Namen, ja sogar ein jüdischer Kantor aus Polen ist darunter, sie werden gezwungen, ihre eigenen antisemitischen Karikaturen zu spielen, eine Bande jüdischer Hausierer und Lumpensammler, die mit kehllautigem Singsang die Stadt erobert. Antisemitische Chargen sind auch die fünf Juden, die Werner Krauß anbietet. Er mimt einen stummen Ghettojuden, karikiert einen lüsterner Greis (»Zieh dich an, Rebekka!«), einen jüdischen Schächter, den Sekretär Levy und sogar einen verrotzten Rabbi Loew, freilich ohne viele eigene Einfälle, ganz nach den antisemitischen Stereotypen deutscher Lehrbücher für Theaterfriseure und Schminkmeister und vor allem nach dem antisemitischen Baukasten des *Stürmers*. Seine fünf Juden sind Menschen, zusammengesetzt aus Säbelbeinen und Plattfüßen, schmaler Brust und Buckel. Sie besitzen fliehende Stirnen, abstehende Ohren und Habichtsnasen. Ähnlich dem Neger sind ihre Unterlippen wulstig und hängen nach vorne. Die Hautfarbe ist dunkler. Auch die starke Behaarung am Kopf und Körper erinnert an Neger. Krauß spricht seine Juden mit einer schmierigen Stimme, auch durch die Nase. Während er spricht, wiegt er seinen Kopf leicht hin und her. Seine Oberarme hält er ziemlich ruhig, dafür aber fuchteln die Unterarme umso wilder in der Luft herum. Je mehr er sich in Rage redet, desto schneller wird die Bewegung seiner Unterarme. Wenn er aber den »Höhepunkt« seiner Rede erreicht hat, schnellen die Unterarme abwärts und bleiben plötzlich – Handflächen nach oben – unbeweglich stehen.

Die Stuttgarter Antisemiten sind empört. Sie protestieren gegen die Fleischmärkte, die Süß im Schloss arrangiert. Ihre Töchter seien gut genug, die Ware abzugeben. An ihren Frauen und Töchtern lebe der Jude sein säuisches Wesen aus. Deshalb verlangen sie vom Herzog, dass er den Urheber dieser Verjudung bestrafe und entlasse.

Aber die kleinen täglichen Rebellionen werden mit grausamer Schärfe niedergeschlagen. Als die Politiker sich endlich zum Widerstand gegen den Herzog aufraffen, löst der Herzog diese Landesvertretung auf mit dem Ziel, aus Württemberg einen absolutistischen Staat zu machen. Er benutzt die Anwesenheit des kaiserlichen Gesandten in Ludwigsburg, um von Stuttgart abwesend zu sein und Süß freie Hand für den Staatsstreich zu lassen. Ein Schlaganfall wirft ihn um, mitten im rauschenden Trubel des Festes auf Ludwigsburg. Sein Tod aber macht auch den Freibrief zunichte, der dem Finanzienrat Generalpardon für alle seine Aktivitäten versprochen hat. Süß wird auf der Flucht verhaftet, vor Gericht gestellt und zum Tode verurteilt, wegen Erpressung, Wucher, Ämterhandel, Hochverrat, Kuppelei und Unzucht, womit der Selbstmord Dorotheas gerächt werden soll. Diese sprang in den Neckar, weil sie kein Judenkind zur Welt bringen durfte.

Ferdl zeigt in seiner Hinrichtungsszene einen Menschen, dem Todesangst den ganzen Leib lähmt. Er imitiert das panische Erschrecken von Tieren auf dem Schlachthof. Die Lähmung seiner Beine ist so stark, dass Ferdl in den Galgenkäfig gestoßen werden muss und die Angst, die er beim Hochziehen des Käfigs herausschreit, erinnert an das Gebrüll von Menschen und Tieren nach Verlassen des Mutterleibes. Ferdl lässt seinen Süß auch nicht in der erst spät in der Schule gelernten Hochsprache winseln und weinen, sondern mit den ersten weiblichen Lauten, die der kleine Judenjunge gehört hat, in der Sprache von Oppenheimers Mama:

Ich bin – nix – gewesen – als ein treier Diener von mei'm Souverän! Was kann ich dafür, wenn – Euer Herzog ein Verräter gewesen ist. Ich will ja alles wieder gut machen – ich schwöre es Euch – nehmt Euch meine Häuser, nehmt Euch mein Geld, aber lasst mer mein Leben! Ich bin unschuldig! Ich bin nur e armer Jud! Lasst mer mein Leben! Ich will leben! Leben will ich, leben.

Ferdls Hinrichtungsszene wird von Harlan als Schwarze Messe inszeniert. Haufen von Antisemiten stehen um den Galgen herum und genießen die Angst des Juden und warten auf seinen Tod. Der Gewaltakt findet seinen Abschluss in einem Verbot, das der Schwabe Eugen Klöpfer mit der ihm eigenen Wollust der Ehrbarkeit verkündet:

So aber ein Jude mit einer Christin sich fleischlich vermengt, soll er mit dem Strang vom Leben zum Tode gebracht werden, ihm zur wohlverdienten Strafe, jedermann aber zum abschreckenden Exempel. [...] Alle Juden haben innerhalb dreier Tage Württemberg zu verlassen. Für ganz Württemberg gilt hiermit der Judenbann! Gegeben zu Stuttgart am 4. Februar 1738. Mögen unsere Nachfahren an diesem Gesetz ehern festhalten, auf dass ihnen viel Leid erspart bleibe an ihrem Gut und Leben und an dem Blut ihrer Kinder und Kindeskinder.

Auf Verbeugungstour (1940)

Venedig

Das neue Lebensjahr, welches Mariahimmelfahrt für Ferdl beginnt, wird ein Jubeljahr. Es ist zugleich der Anfang einer internationalen Karriere, die in Hollywood enden könnte. Denn Anfang September reist er, wohin es ihn schon als sechzehnjährigen Ausreißer zog, in die Metropole levantinischer Handelskapitalisten, die beileibe keine jüdischen Schnorrer waren, sondern christliche Verschwender und reiche Lebemänner. Der jugendliche Ausreißer kam nur bis Südtirol. Der Schauspieler-Lehrling bis Venedig, freilich nur auf der Bühne. Sein etwas blöder marokkanischer Prinz ging in San Marco vor Anker, seinen Casanova machten die venezianischen Schönen der Nacht bankrott und sein von Natur aus gemeiner Jago brachte den rassenschänderischen Mohren dazu, eine ›Weiße‹ im Palazzo Venier zu ermorden. Nun kommt Ferdl mit seinem Ebreo Süß in die Kaufmannsstadt, um den Pokal der Biennale zu gewinnen. Die gefährlichsten Konkurrenten seines geschlechtshungrigen Aufsteigers sind Tausende herzzerreißender Mütter und Kinder in dem italienischen Spielfilm *Die Belagerung des Alkazar*. Ebreo Süß will lieben und leben. Die Eingeschlossenen nicht. Sie sind bereit, mit ihrem kleinen Leben die faschistische Festung in Toledo gegen die roten Brigaden im spanischen Bürgerkrieg zu verteidigen. Wer wird gewinnen? Der Wettstreit zwischen Antisemiten und Antikommunisten um die Gunst der schaulustigen Venezianer findet in der ersten Septemberwoche 1940 statt, in einer engen, nach Fisch stinkenden Gasse neben der Kirche des Heiligen Moses, in dem kleinen Cinema Teatro San Marco, dem ein tüchtiger Kleinkapitalist ein faschistisches Aussehen gab: mit ein bisschen Brutalität in Stein und mit roten Hakenkreuzfahnen. Am Mittwoch wird *Alkazar* uraufgeführt. Am Donnerstag kommt Ferdl dran. Es herrscht Aufregung und Nervosität vor dem Kino und im Saal. Am Nachmittag bei der Pressevorführung und bei der Abendvorstellung. Denn nicht nur die Italiener, sondern auch die aus München eingeflogene Nazi-Journaille sieht den unter Ausschluss der Öffentlichkeit gedrehten *Süß* zum ersten Mal. Ja, selbst Ferdl sieht und hört sich zum ersten Mal, wiederholt lautlos jeden Satz, als ob er ihn zum ersten Mal spräche. Als er endlich baumelt und die Saallichter angehen, sind die Leute sichtlich erleichtert, Ferdl am Leben zu sehen. Ferdl genießt den Beifall. Die Ovationen für ihn gehen weiter im Luxushotel Danieli, wo Ferdl mit Kristina Söderbaum und Veit Harlan, mit zahlreichen Kollegen, Journalisten und Filmhändlern die Premiere feiert, vermutlich in der hohen prächtigen Innenhalle des ehemaligen Palazzo Dandolo, mit den vielen kleinen Säulen, steil ansteigenden Stiegen, Balkonen und Holzgeländern. Die Pokale werden am Ende der Woche vergeben. Der erste geht an den italienischen Spielfilm *Alkazar*. Und der zweite an den deutschen *Postmeister*, mit Heinrich George in der Titelrolle. Ferdl bekommt keinen, weil es unter italienischen Faschisten wohl mehr Antikommunisten als Judenhasser gibt. Der denunziatorische Antisemitismus des Films wird von den kunstsinnigen Italienern ungeniert in Frage gestellt. So enttäuschend die Niederlage für die Produktionsfirma und Harlan auch ist, Ferdl hat mit seiner Rolle einen ersten großen künstlerischen Erfolg erzielt. Denn während der in Italien bekannte George nur formelhaft erwähnt und der ebenfalls bekannte Krauß wegen seiner Theatralik verspottet wird, loben die italienischen Kritiker sehr ausführlich und unisono die Darstellungskunst des Unbekannten:

Die Figur ist plastisch so gut gelungen, so sehr trifft der Zug seines traurigen und bitteren Lächelns in einem steten Wechsel von Feigheit und Hoffahrt unsere Empfindlichkeit und bleibt bei uns haften, dass Süß sprichwörtlich werden könnte. Und das erreicht man nicht leicht.

Ferdls Jude sei einfach großartig, schreibt der damals junge und heute uneingeschränkt verehrte Michelangelo Antonioni für den *Corriere Padano*, Marian zeichne die Gestalt des Süß mit größter Feinheit: »Das Spiel der Hände, der Blicke, Tönungen der Stimme, Bewegungen des Körpers, alles ist vollendet«. Der *Corriere Padano* und auch die anderen italienischen Zeitungen drucken nicht die antisemitischen Werbefotos, sondern nur Szenen seines tragischen Liebhabers. Es ist die Rolle, welche Ferdl auch den Journalisten und Fotografen anbietet, in der Gondel posierend und als Edelspaghetti verkleidet. Seinen Cappuccino trinkt er wahrscheinlich im Kaffee

Florian inmitten von Taubendreck und beim Klang zerkratzter Straußmelodien, mit denen der Stehgeiger das altösterreichische Ambiente der Lagunenstadt hervorzaubert. Ferdl fühlt sich so wohl bei den g'schrieenen Maccaronis, dass er nicht nach Berlin, sondern nach Rom weiterreist.

Berlin

Ging es in Venedig um Filmkunst, so ist die Uraufführung in Berlin ein antisemitischer Staatsakt. Kommt es wegen Ferdl zu einer zweiten Reichskristallnacht in Berlin? Die »Reichsvereinigung der Juden in Deutschland« befürchtet Pogrome nach Ferdls Süß und das Reichssicherheitshauptamt in der Prinz-Albrecht-Straße erwartete sie ebenfalls. Immerhin leben im Herbst 1940 noch rund 100 000 Juden in der Reichshauptstadt: auf dem Kurfürstendamm und im Scheunenviertel, in Wilmersdorf und in Neukölln. Der antisemitische Festakt übertrifft selbst die feierlichen Festvorstellungen, die Ferdl als Kind in der Hofoper gesehen hat: mit Kaiser und Kaiserin Zita in der Loge und der Kaiserhymne. Er sitzt zum ersten und einzigen Male in seinem Leben neben einem Minister im Kino. Es schmeichelt, dass Goebbels seinen Süß nicht in irgendeinem Patschenkino zeigt, sondern die Premiere in den größten Saal der Reichshauptstadt legt, in den Ufa-Palast am Zoo. Und es macht den unterwürfigen Komödianten ein bisschen besoffen, dass hier nicht einfach Leute ins Kino spazieren dürfen, sondern nur geladene Gäste einmarschieren: »Ein ganz großes Publikum mit fast dem gesamten Reichskabinett«. Bereits im Vorraum des Ufa-Palastes wird Ferdl begrüßt von dem Hausherrn, Generaldirektor Ludwig Klitzsch, von führenden Männern der Terra-Film-Kunst, Produktionschef Brauer, Direktor Kaelber und von Veit Harlan. Stellung und Rang der Gäste werden auch in der Sitzordnung berücksichtigt. Hans Hinkel, der den Minister noch in Venedig vertreten hat, bekommt lediglich einen Sitzplatz in der dritten Reihe des Mittelbalkons rechts, neben anderen Abteilungsleitern des Ministeriums, in den hinteren Reihen müssen Vertreter zentraler Parteistellen, Professoren und Ministerialdirektoren Platz nehmen. Ferdl dagegen sitzt in der ersten Reihe der Ministerloge. In der Mitte Dr. Goebbels in SA-Gala. Links von Goebbels Gutterer und Hippler in SS-Uniform. Rechts vom Doktor Harlan und Ferdl im Smoking. In der Nachbarloge Klitzsch und Staatsminister Dr. Meißner. Hinter Ferdl Offiziere des Oberkommandos der Wehrmacht. Punkt sieben Uhr beginnt der Festakt mit dem Kulturfilm *Baumeister Chemie*. Danach spielt die Kapelle der Staatsoper die symphonische Dichtung *Les Préludes* von Franz Liszt. Dirigent ist Staatskapellmeister Johannes Schüler. Und dann kommt Ferdls jüdischer Aufsteiger, der sich seiner Herkunft schämt, mit seiner modern erzählten love story, die mit Liebe auf den ersten Blick beginnt und mit einem kollektiven Lustmord endet. Das Publikum folgt atemlos dem Aufstieg und Sturz des Hofjuden und ist nach der erotischen Erhängungsszene so erregt, dass es sich nur mit hartem Händeklatschen und lauten Schreien beruhigen kann. Für diesen stürmischen Beifall bedankt sich als erster Harlan, der zwischen Kristina Söderbaum und Hilde von Stolz auf die Bühne kommt, gefolgt von Malte Jaeger. Erst danach erscheint er, der wenige Minuten vorher noch überlebensgroß auf der Leinwand war und aus lauter Todesangst in den Saal schrie: »Ich bin unschuldig! Ich bin nur e armer Jud! Lasst mir mein Leben! Ich will leben! Leben will ich! Leben!« Nun steht der Gehängte vor der Leinwand. Winzig klein. Stumm. Ein Liliputaner im Smoking. Ein gut aussehendes schwarzhaariges Püppchen mit englischem Schnurrbart. Fast ein Chaplin. Ein braun gebranntes Gojerl, das sich langsam verbeugt vor über zweitausend gut bezahlten, gut trainierten und nun aufgegeilten ›Rassekämpfern‹, die von ihren Sitzen aufspringen und ihn stehend feiern, den Auferstandenen, den Zombi. »Der Saal rast!«, konstatiert der Minister in seinem Tagebuch stolz: »So hatte ich es mir gewünscht!«

Aber die Schwarze Messe der Judenmörder und die anschließende Premierenfeier sind nur von kurzer Dauer, denn elf Minuten vor Mitternacht greifen britische Bomber Berlin an und zerstören Häuser und Menschen, aber keinen, der die sadistische Hinrichtung des Hofjuden Süß begeistert gefeiert hat. Ferdl überlebt im Grunewald. Der Minister in Lanke. Und die berufsmäßigen Antisemiten in sicheren Luftschutzbunkern. Die britischen Piloten töten Zivilisten, darunter Frauen und Kinder, insgesamt elf, was die Berliner nicht hindert, sich Ferdl im Ufa-Palast am Zoo anzusehen.

In den ersten 27 Tagen kommen 110 006 Besucher. Ab 8. November wird der Film von 86 Theatern in Berlin nachgespielt. Zu diesem Erfolg trägt nicht nur die Begeisterung der geladenen Antisemiten aus Staat, Partei und Wehrmacht bei, sondern vor allem der Schirmherr des deutschen Films. Er befahl in einer geheimen Ministerkonferenz seinem Pressechef, dafür zu sorgen, dass die Premiere ihrer Bedeutung entsprechend herausgestellt und dass *Süß* nicht etwa nur unter dem Strich behandelt wird. Und so erfährt alle Welt am Tag nach der Premiere, dass der Doktor im Kino war. »In Anwesenheit von Dr. Goebbels. Eindrucksvolle Aufführung des *Jud Süß*-Films«.

Und zum ersten und zugleich zum letzten Mal in seinem Leben schreiben deutsche Filmkritiker in aller Ausführlichkeit über Ferdls Darstellungskunst:

Zweifellos hat es Marian Überlegung und auch Überwindung gekostet, in dieser grausig-widerwärtigen Gestalt aufzugehen und sie auch auszufüllen.

Marian hat sich gleichsam leidenschaftslos, wenn es gestattet ist, diese paradoxe Formulierung zu gebrauchen, in den Juden Oppenheimer verwandelt. Der Filmbesucher verlässt den dunklen Saal und ist aus dem Erlebnis dieser Figur zu der Meinung gekommen, der Jude müsse so gewesen sein, wie Marian ihn darstellt. (…) Wie der dunkeläugige, glatte, schlanke Mann die Bartlöckchen abschert und um die blonde Frau giert, wie er vom Herzog Demütigungen einsteckt und gleich wieder vorprescht, wenn dieser unförmliche Fleischkloß neue Lüste begehrt und sich dann hilflos an den Juden wendet, wie er Triumphe einheimst und, als er dann genug Macht hat und sich fest genug im Sattel weiß, brutal droht, wie er grausam seinen Widersachern ins Auge schaut, sich ihnen körperlich nähert und sie den Hass uralter Rachsucht fühlen lässt!

Und die antisemitischen Zeitungsjournalisten machen dem Publikum klar, dass es sich bei Ferdls jüdischem Lord um den ersten Spielfilm zur Endlösung der Judenfrage handelt, um den ersten Holocaustfilm, wie wir heute sagen würden. Die *Berliner Illustrierte Zeitung* erklärt den Zusammenhang mit Hilfe der Spielfilmfotos von der Hinrichtung des deutschen Hofjuden anno 1738 und amerikanischen Agenturfotos von der Deportation polnischer Juden im Jahre 1940:

Am 4. Februar 1738: Auf dem Richtplatz von Stuttgart wird Josef Süß Oppenheimer, vom Volksmund Jud Süß genannt, hingerichtet (…) 200 Jahre später: Die Juden verlassen Krakau. Nach der Beendigung des polnischen Feldzuges war die Lösung der Judenfrage im Generalgouvernement eines der vordringlichen Probleme. (…) Ein jahrhundertelanger Abwehrkampf gegen das immer von neuem eindringende Judentum findet seinen Abschluss.

Hamburg

Eine Woche nach Berlin hat *Süß* Premiere in der Hansestadt, die gerne vierte Filmstadt werden möchte. Hier hat Ferdl glückliche Jahre mit Ruth verbracht, hier hat er Maria geheiratet, hier hat sein Aufstieg zum Bühnen- und Filmstar begonnen. Nach Hamburg kommt Ferdl gerne. Er fährt deshalb schon einen Tag vor der Premiere los, begleitet von Maria, die bei der Ankunft auf dem Hauptbahnhof einen großen Blumenstrauß erhält.

Die Premiere wird zwar von Uniformierten aus Staat, Partei und Wehrmacht besucht, ist aber kein Festakt. Vor dem Film läuft ein Varietéprogramm mit einer Jongleurnummer, einem Schnellzeichner und einem Akrobatenteil. Und es gibt auch nicht nur eine Erstaufführung, sondern gleich zwei. Eine am Nachmittag und eine Abendvorstellung. Bei beiden sitzt Ferdl in dem riesengroßen Saal mit 2665 Sitzplätzen und bemerkt bald, dass die Hamburger ihn noch kennen und mögen. Er bekommt auf offener Szene rauschenden Beifall, einen Schlussapplaus, welcher ausschließlich Ferdl gilt, der sieben Jahre zuvor mit seinem Lustmörder Hamburg eroberte. Die Premierenfeier findet im Nobelhotel Vier Jahreszeiten statt. Mit Ferdl und seiner Maria feiern Leute von der Terra und Ufa, ehemalige Thalia-Kollegen, von denen freilich die für ihn wichtigsten emigriert sind. Marle, der 1931 Kornfelds Süß im Schauspielhaus gespielt hat, ist inzwischen im Londoner Exil. Es fehlen nicht die beiden Edelnazis Mundorf und Leudesdorff, die 1934 Ziegel wegen seiner jüdischen Frau verdrängt haben und nun Ferdl großmäulig begrüßen. Und bei dieser feuchtfröhlichen »Judenfeier« sind selbstverständlich etliche Zeilenschinder dabei, welche die angebliche Selbstverleugnung bewundern, die Ferdl als deutscher Künstler in dieser Rolle als skrupelloser Jude beweise. Die Verwunderung ist für Ferdl nicht neu. Und neu ist auch nicht seine Antwort für die Journalisten. Denn mit diesem Thema wirbt die Terra für den Film. »Immer wieder«, meint der schon etwas angetrunkene Ferdl,

werde ich vom Publikum gefragt, wenn ich eine unsympathische Rolle gespielt habe, warum ich das mache, warum ich zum Beispiel den Juden Süß spiele. Und hinter diesen Fragen verbirgt sich häufig der Argwohn, dass der Schauspieler doch gewisse seelische Beziehungen zu dem von ihm dargestellten Bösewicht haben müsse, da ihm die Rolle so gut gelungen sei. Ich antworte dann gern mit einer Gegenfrage. Warum konnte Shakespeare und Goethe solche Gestalten wie Richard III. und Mephisto schaffen? – Auch sie haben sich in diese Gestalten so hineinleben können, dass sie künstlerisch überzeugend wirkten. Dieser Jud Süß ist kein kleines Jiddchen, sondern ein Typ des ewigen großen Feindes deutschen Volkstums. Genau so, wie es jeder Schauspieler als eine reizvolle und große Aufgabe ansieht, Richard III. oder den Mephisto zu spielen, so lockte mich diese Rolle. Auch in der Darstellung von verbrecherischen Menschen liegt ein tiefer künstlerischer Sinn, denn sie dient der Gegenüberstellung der Gestaltung des Schönen, Guten und Idealen.

Und Mundorf und Leudesdorff bestätigen Ferdl, dass er in »sympathischen Rollen« genau so daheim sei wie in der Darstellung von Schurken, und – dass er ein überaus sympathischer Mensch und Kamerad gewesen und geblieben sei. Als Ferdl am nächsten Vormittag die Zeitungen aufschlägt, kann er zufrieden sein. Es gibt keinen Kritiker in Hamburg, der ihn nicht lobt. Selbst der Lokal-Anzeiger tut das, obwohl er Krauß besser findet. Aber alle anderen sind begeistert und hingerissen von Ferdl. Am interessantesten sei es, wie Marian es verstehe, das Jüdische, auch unter der Maske des Finanzienrates, der mit allen Mitteln seine Herkunft zu verleugnen sucht, durchscheinen zu lassen. Das gelinge ihm durch eine geringfügige Lippenbewegung oder durch ein schnell vorüberhuschendes gemeines Aufblitzen des Blicks. Außerdem verstehe er es meisterhaft, seiner Sprache im Augenblick der Gefahr eine jüdische Färbung zu geben, die ihn ganz entlarvt. Ferdl kommt bei seinen Hanseaten so gut an, dass ihn bereits nach vier Wochen über hundertfünftausend gesehen haben.

Dresden

Ferdls zweite Station auf seiner Verbeugungstour ist Dresden. Er beginnt seinen Tag mit einer Stadtrundfahrt, trifft sich mit Journalisten bei einem Glaserl Wein, verbeugt sich nach der Hinrichtung vor den applaudierenden Dresdnern und kann, Gott sei Dank, ohne Fliegeralarm ins Hotelbett sinken, seiner Verkleidung entledigt. Denn er ist nicht in seiner Lieblingskluft gekommen, im schlampigen Trenchcoat mit Sporthut, sondern im teuren Chesterfieldmantel, mit weißem Kaschmirschal und Homburg, um schon rein äußerlich einen Gegensatz zu seinem schmierig-schmutzigen Juden Süß sichtbar zu machen und um damit die antisemitische Werbebotschaft der Terra darzustellen, dass es für einen Herrenmenschen eine Zumutung sei, einen solchen Untermenschen zu spielen, was voll aufgeht. Ferdl hat am nächsten Tag das Mitgefühl der Zeitungsschmierer, die den Pressetext der Terra abschreibend über Ferdls Charakter nachdenken:

Angesichts seiner letzten großen Rolle lag das Thema ›Bösewicht‹ nahe (…). Dennoch wird Marian – und das werden auch alle, die ihn auf der Bühne des Capitols sahen, bestätigen – uns in der sympathischen Männlichkeit und Menschlichkeit wie etwa in dem Film *Aus erster Ehe* gegenwärtig sein. Seine darstellerische Auseinandersetzung mit der Welt des Bösen gewinnt dadurch sogar umso mehr an Reiz und zeigt uns einen Schauspieler, der an der Größe seiner Aufgaben wächst.

Posen

Die dritte Station von Ferdls Verbeugungstour liegt weit im Osten, zwischen Warthe und Weichsel, schon ganz im Polnischen, in dem von deutschen Truppen am 26. Oktober 1939 besetzten Gebiet. Der amtierende Räuberhauptmann heißt Arthur Greiser. Er ist Reichsstatthalter und Gauleiter des Warthelandes und SS-Brigadeführer. Und er ist Ferdls Gastgeber in Posen, wo sich die Filmkritiker fragen, warum sich jemand partout in einen Juden verwandeln will. Auf die Antwort brauchen sie aber nicht bis zu Ferdls Ankunft zu warten, denn sie steht bereits im Presseheft der Terra.

Die Premiere von *Jud Süß* findet am Donnerstag, dem 24. Oktober um 16 Uhr im Deutschen Lichtspielhaus am Wilhelmsplatz statt. Er trägt Festschmuck. Im Ostwind wehen rote Fahnen und Fähnchen auf den Dächern, an den Fenstern und an den weißen Fahnenstangen rings um den lang gestreckten Platz. Blumen und Blattpflanzen schmücken den Vorraum des Kinos, die Aufgänge zu den Balkonplätzen und die Bühne. Der Kinosaal ist bis zum letzten Platz besetzt mit Uniformierten aus Posen und den kleineren Städten des Warthegaus. Fotografen und Journalisten drängen sich im Vorraum. Beim Eintreffen Ferdls nehmen die jungen SA-Führer, SS-Offiziere und Militärs Haltung an und salutieren. Ferdl weiß natürlich, dass diese Ehrenbezeugungen nicht ihm gelten, wenngleich er in seinem rabenschwarzen Smoking eleganter aussieht als die dickbäuchigen Herren Mörder in ihren Galauniformen. Die Ehrenbezeugungen der Offiziere gelten dem höchstrangigen Judenmörder an Ferdls linker Seite, dem Reichsstatthalter Greiser, mit dem er angekommen ist. Wie auch die Blumen im Kino und die Fahnen auf dem Wilhelmsplatz nicht der *Süß*-Premiere gelten, sondern dem ›Befreiungstag‹, zu dem die *Süß*-Premiere mit geladenen Gästen der festliche Auftakt ist. Ferdl nimmt in der Ehrenloge auf dem Balkon Platz, inmitten von Uniformierten. Links von ihm der kommandierende General und Befehlshaber im Wehrkreis XXI, General der Artillerie Petzel. Rechts von Ferdl Reichsstatthalter Greiser. Und pünktlich um 16 Uhr nimmt die widerliche Veranstaltung ihren Lauf. Sie beginnt mit den *Geschöpfen des Prometheus*. Nach dem Beifall für die Mitglieder des Stadtorchesters löscht der Filmvorführer langsam das Saallicht und lässt die Juden aus dem Dunkel treten, den antisemitischen Alptraum aufsteigen, die Angst vor der Geilheit Israels, vor der sich aber kaum einer im Saal fürchtet. Denn da sitzt fast niemand, der nicht schon einen Juden beraubt, geschlagen oder ermordet hat. Und nur wenige, die nicht schon mal eine Frau vergewaltigt haben. Angst macht nur die Strenge, mit der die geschlechtlichen Beziehungen zwischen Juden und Christen im Film verfolgt werden. Der Jude wird gehängt. Na gut! Aber die Christin, sie muss den Freitod wählen. Und die Angst vor dieser Strenge hat einen aktuellen Bezug. Denn seit 1. Oktober gelten die Nürnberger Gesetze auch im Reichsgau Wartheland. Und seit 25. September 1940 gelten strenge Richtlinien für das Verhalten der deutschen Einwohner gegenüber der polnischen Bevölkerung im Warthegau. Deutsche Volkszugehörige, die mit Polen geschlechtlich verkehren, werden in jedem Fall in Schutzhaft genommen. Polnische Frauen, die sich mit deutschen Volkszugehörigen in Geschlechtsverkehr einlassen, können einem Bordell zugewiesen werden.

Haltet das deutsche Blut rein! Das gilt für Männer wie für Frauen! So wie es als größte Schande gilt, sich mit einem Juden einzulassen, so versündigt sich jeder Deutsche, der mit einem Polen oder mit einer Polin intime Beziehungen unterhält. Verachtet die tierische Triebhaftigkeit dieser Rasse! Seid rassenbewusst und schützt Eure Kinder! Ihr verliert sonst Euer höchstes Gut: Eure Ehre!

Der Schluss des Films befreit die jungen SA-Führer von ihren Ängsten: In Großdeutschland wird kein Blutsdeutscher hingerichtet, hingerichtet wird nur der Fremdrassige. Das ist ein Gerichtsurteil, das ihnen gefällt und dem sie deshalb lebhaft und anhaltend Beifall spenden und diesen sogar steigern, als der jüdisch aussehende Zivilist vom Balkon herunterkommt und auf der Bühne einen riesengroßen Blumenstrauß entgegennimmt. Herzlich dankt Ferdl dem Gauleiter und den Ehrengästen im Saal. Es sei in der Geschichte dieses Films ein ehrenvolles Ereignis, dass er als Auftakt zum »Tag der Freiheit« vor deutschen Menschen des Warthelandes gezeigt wird. Ob sich Greiser 1946 bei seiner Hinrichtung an diese *Süß*-Aufführung erinnern wird? 1946 wird er nämlich in einem eisernen Käfig in den Straßen Posens zur Schau gestellt und danach vor dem Schloss am Galgen erhängt, wie Joseph Süß Oppenheimer 1738 in Stuttgart. Bei der ersten öffentlichen Aufführung um 20 Uhr ist Ferdl noch einmal anwesend. Auch diese Vorstellung ist ausverkauft und voll mit Stadtprominenz. Am nächsten Tag machen er und Maria einen Abstecher nach Lodz, wo *Süß* gerade anläuft. Am Tag danach steht schwarz auf weiß in der *Litzmannstädter Zeitung*:

Der Film, der aus Anlass der Feierlichkeiten unseres Gaues vor zwei Tagen in Posen in Anwesenheit des Gauleiters und namhafter Vertreter von Partei und Staat im Lande an der Warthe erstaufgeführt wurde, hinterließ auch in Litzmannstadt den allerstärksten Eindruck. Wer würde nicht im Banne jener dramatischen Wucht stehen, mit der ein Kapitel neuerer Geschichte gestaltet wird! Wer würde nicht in diesem Jud Süß so manchen wieder erkennen, der früher im alten Lodz durch die Straßen ging. Und wem würde das Herz nicht höher schlagen, wenn er Zeuge dessen sein darf, wie sich die tapferen Württemberger als handfeste Deutsche zeigen und den ganzen jüdischen Klüngel mit dem Einsatz ihres Lebens ganz einfach zum Teufel jagen (…). Es darf keinen Deutschen geben, der an diesem Film, in dem sich ein Teil der nationalsozialistischen Weltanschauung in reinster Klarheit spiegelt, unbeachtet vorübergeht.

München

Im November werden die Reichsdeutschen automatisch nachdenklich. Denn dieser Nebelmonat ist voll gestopft mit Gedenktagen und Gedächtnisfeiern. Die Katholiken feiern Allerheiligen und Allerseelen am 1. und 2. November. Sie backen Strizzel, legen Blumen und Reisig auf die Gräber und verwandeln mit kleinen Kerzen die Friedhöfe in Lichtermeere. Alles zum Gedächtnis der Heiligen und verstorbenen Gläubigen und als Fürbitte für die »Armen Seelen« im Fegefeuer. Die Protestanten haben ihren Reformationstag, ihren Buß- und Bettag und ihren Totensonntag. Für die Nazis ist der 9. November der Totengedenktag. Und für die Filmhändler und Kinobesitzer sind diese Feiertage die letzte Chance, den seit sechs Wochen im Reich laufenden *Süß* noch einmal zu einem Ereignis zu machen. Und für Ferdl sind sie die letzte Gelegenheit, Autogramme nach einer Erstaufführung zu geben, denn in vielen Städten und Bezirken läuft *Süß* inzwischen schon in Zweitaufführungskinos. In der Stadt der Bewegung ist es eine geschlossene Festveranstaltung des Reichspropagandaamtes München-Oberbayern für Mitglieder der zwischenstaatlichen Vereinigungen und ein Muss für alle großkopferten Münchner. Mitglieder der Deutschen Akademie, viele Hochschulprofessoren, Parteiführer, Beamte von Stadt und Staat, hohe Offiziere und Angehörige des diplomatischen Korps geben sich am Vorabend im Atlantik-Palast am Isartor ein Stelldichein, nicht zuletzt in der heimlichen Erwartung, dass sich Adolf Hitler vielleicht doch überraschend zeigt. Denn es ist Tradition, dass er zum 9. November nach München kommt, um mit seiner alten Garde der Toten des misslungenen Naziputsches 1923 zu gedenken. In diesem Jahr aber wird auch der Toten gedacht, die es bei der Traditionsfeier 1939 gegeben hat, bei dem Anschlag auf ihn im Bürgerbräu in der Rosenheimer Straße. Dass Hitler überlebt hat, halten viele für ein Wunder, das sich pfiffige Preußen für die Deppen in Bayern ausgedacht haben, zumal der geständige Attentäter noch immer nicht verurteilt worden ist, sondern von der SS im Konzentrationslager Sachsenhausen bei Berlin verwöhnt wird. In heimlicher Erwartung Hitlers, Himmlers, Heß' oder Rosenbergs herrscht Hochspannung im Saal. Entsprechend begeistert werden die jungen kräftigen Musikanten des Reichsarbeitsdienstes begrüßt, welche mit einer Rhapsodie eröffnen. Alle fasziniert das Widerspiel zwischen ihren klobigen Fingern und den zerbrechlichen Geigen, abstehenden Ohrwascheln und feinen Flöten, zwischen Brutalität und Empfindsamkeit, Zucht und Zügellosigkeit. Und entsprechend begeistert wird auch der *Süß* beklatscht, einzelne Szenen und vor allem der Schluss. Das illustre Publikum ist mitgerissen von der Mischung aus sex and crime, Arierliebe und Judenhass, Bürgertragödie und Haupt- und Staatsaktion. Es ist eine Begeisterung, die sich freilich für die Aufsteiger nicht auszahlt, denn weder der Führer zeigt sich in der Ehrenloge noch einer seiner alten Kämpfer. Nicht einmal unser Ferdl ist zum Verbeugen da. Ferdl sitzt im Schlafwagen Berlin–München, wahrscheinlich mit einem kleinen Schwipserl, und trifft erst am Freitagmorgen am Hauptbahnhof ein, wo er mit mütterlicher Herzlichkeit empfangen wird. Alle sind da. Die Terra. Der Kinobesitzer. Die Journalisten. Die Münchener. Und natürlich auch das Buschkawettl für die sehr verehrte Frau Gemahlin, die ja ein Münchner Kindl ist. Nach einem kurzen Abstecher ins Hotel muss Ferdl gleich zu einem Presseempfang im Lenbachzimmer des Künstlerhauses. Einige Journalisten kennen ihn ja noch von seiner Doppelrolle als Mann mit grauen Schläfen und lieben Exilrussen. Andere von seinem Räuber mit der Todesangst im Gesicht. Man erinnert sich an die *Straßenmusik*, die Ferdl und Maria zusammengebracht hat. Alle kennen selbstverständlich seine letzten Filmrollen: seinen lieben Tiroler (*Aus erster Ehe*) und seinen bösen Engländer (*Der Fuchs von Glenarvon*). Und es gibt auch schon die ersten druckfrischen Reaktionen auf den Süß vom Vorabend. In den *Münchener Neuesten Nachrichten* vergleicht der Münchener Erfolgsautor Eugen Roth die drei Bösewichtsdarsteller und kommt dabei zu folgendem Urteil:

Dieser Teufel nun ist Ferdinand Marian als Jud Süß; er hat den Mut und die abgründigen Fähigkeiten, sich zu dieser großartig widerwärtigen Rolle zu bekennen, im Dienst an der Kunst, wie er selber sagt. Es ist keine dankbare Rolle schlechthin, deshalb müssen wir dem bedeutenden Darsteller doppelt dafür dankbar sein; in der von ihm geforderten, schillernden, zwiespältigen Art hat er es, menschlich gesehen, weit schwerer als Werner Krauß, der mit dem aus dem Inferno entwachsenen Sekretär Levy die eindeutige Gestalt des Bösen vertritt, das jenseits jedes Anspruchs auf Anteilnahme uns nur noch das kalte Grausen über den Rücken jagt.

Der Kritiker des *Neuen Münchener Tagblattes* meint sogar, dass Ferdl mit dem Süß »eine der größten und schwersten Rollen, die der Film je zu vergeben hatte«, übernommen hat. Und wie um den Münchenern zu beweisen, dass Ferdl verlässlich kein Jude ist, baut der *Völkische Beobachter* zwei Fotos in seinen Dreispalter über die Premiere ein. Eines zeigt Ferdl als Ghettojuden. Das andere den privaten Marian mit Pfeife. Dazu die Unterschrift: »Die Maske und ihr Gestalter. Jud Süß, dessen verbrecherische Gestalt in dem Film durch den langjährigen Münchener Schauspieler Ferdinand Marian meisterhaft dargestellt wird. Rechts: Marian ohne Kaftan und Judenlocke.« Es geht also auch in München um die Frage, ob sich Ferdl leisten kann, für einen Juden gehalten zu werden, ohne die Zuneigung seiner Verehrer und Verehrerinnen aufs Spiel zu setzen. Die Antwort gibt das Publikum schon in der Drei-Uhr-Vorstellung. Sie ist die erste öffentliche und bis zum letzten Platz ausverkauft, und zwar nicht, weil alle den Führer oder seinen Stellvertreter erwarten. Heß eröffnet zur selben Zeit im Bibliotheksbau des Deutschen Museums die Ausstellung »Deutsche Größe«. Und Hitler treibt sich noch irgendwo herum. Nein, das Theater ist voll, weil alle wissen, dass Ferdl anwesend ist. Und der Beifall und die Begeisterung bei einzelnen Szenen und am Schluss des Films gelten Ferdl, der auf die Bühne kommt und sich sehr charmant dafür bedankt. Und danach im Nu von hübschen zwanzigjährigen Autogramm-Bittstellerinnen umringt wird. Und auch das Publikum der Vorstellung um 5 Uhr 45 gibt die gleiche Antwort auf die Frage, ob es sich ein liebenswürdiger Schauspieler leisten kann, für einen Juden gehalten zu werden. Die Vorstellung ist ebenfalls bis zum letzten Platz ausverkauft, aber nicht, weil alle den Führer oder einen aus seiner alten Garde heimlich erwarten. Die sind ja gerade im Löwenbräukeller. Und Schickelgruber zieht wieder einmal über das Judentum her:

Sie wissen, meine Kameraden, dass ich immer die Auffassung vertreten habe, dass es ein dümmeres Volk als das jüdische Volk nicht gibt, allerdings auch kein gewissenloseres! – (Brausender Beifall). Ich habe deshalb immer die Auffassung vertreten, dass die Stunde kommen wird, da wir dieses Volk aus den Reihen unserer Nation entfernen werden.

Nein, das größte Kino Münchens ist ausverkauft, weil alle wissen, dass ihr Liebling anwesend ist. Und wieder bekommt Ferdl Szenenapplaus und Beifall am Schluss, für den er sich verbeugt und herzlich bedankt. Und wieder wird er von hübschen Münchnerinnen umringt, von alpenländischen Autogrammjägerinnen. Und auch die letzte Vorstellung um 8 Uhr 30 ist ausverkauft und wird zu einem Triumph für Ferdl, freilich etwas gedämpft durch die Vorwarnung und die darauf folgenden britischen Bomber, die aus sehr großer Höhe Bomben auf München werfen. Aber der Jude wird gehenkt und gehenkt und ist bis Weihnachten im Programm, bis zum Stefanietag.

Lustvoll erschlaffen die Beine des gehängten Juden (1940–1941)

Die Zuschnürung des Halses verursacht im Körper eines Erhängten eine starke Stauung, welche eine Aufrichtung des Penis zur Folge hat, eine Erektion, und auf deren Höhepunkt eine reflexartige Ejakulation des bereits Toten. Für die Andeutung dieser letzten Lust von Ferdls Juden wird der Film nicht nur beklatscht, das obszöne Ritual des kollektiv begangenen Lustmordes erregt die antisemitischen Voyeure im Publikum so sehr, dass sie gewaltbereit in den Saal brüllen: »Vertreibt die Juden vom Kurfürstendamm! Raus mit den letzten Juden aus Deutschland!« Lautstark gröhlen Weiber beim Verlassen des Kinos: »Dies verfluchte Judenpack müsste man aufhängen!«

Ein Hamburger erinnert sich:

Ich war Mitglied der HJ. (…) Ich war damals 13 Jahre alt. Ich habe mit meinen Kameraden den Film gesehen. Wir haben alle den Inhalt des Filmes als eine historische Wahrheit angesehen und ich – ebenso wie meine Kameraden – war tief beeindruckt von der Schlechtigkeit der Juden.

Zu dem gleichen Schluss kommen ein 29-jähriger Kinobesucher und seine Kameraden:

Nach der Aufführung wurde (…) allgemein gesagt, da könne man es richtig sehen, wie die Juden seien … was für eine verworfene Rasse die Juden seien (…). Die Kameraden waren Leute meines Alters, und zwar überwiegend Handarbeiter und Bauern.

Am schnellsten freilich kapieren feinfühlige Intellektuelle die antisemitische Botschaft:

Ich war seit etwa 1933 mit Ralph Giordano befreundet, und zwar sehr eng (…) Einmal, es mag Ende 1940 gewesen sein, habe ich mit Giordano zusammen den Film *Jud Süß* gesehen. Dieser Film beeindruckte mich sehr stark und ich bekam dadurch einen heftigen Abscheu gegen die Juden. Infolgedessen habe ich mit Giordano vollständig gebrochen und habe auch an dem Abend der Filmvorführung kaum noch mit ihm gesprochen. Es ist auch richtig, dass ich ihm zum Abschied nicht die Hand gegeben habe. Ich habe mich vollständig von ihm zurückgezogen (...).

Der Ansturm deutscher Antisemiten auf die Kinos in Stadt und Land ist sehr groß. In Freiburg muss sogar Polizei für Ordnung vor den Harmonie-Lichtspielen sorgen. Starke antisemitische Aktionen provoziert *Jud Süß* auch im europäischen Ausland. So kommt es selbst im unbesetzten Vichy-Frankreich »in nahezu allen Vorstellungen zu stürmischen Beifallskundgebungen der Zuschauer«. Für die französischen Antisemiten gibt es eine französisch synchronisierte Fassung. Verständnisvoll fordern deshalb die Kollaborateure: »Auch in Frankreich müssen alle Juden raus!« Ausschreitungen gibt es auch in Luxemburg und in Ungarn. Jahre später erinnern sich einige Budapester noch daran:

Da ich in der Nähe des Urania-Kinos in der Dohany-Straße 46 wohnte, sah ich häufig die Menschen aus dem Kino strömen. Darunter waren immer Leute, die Drohungen gegen Juden ausstießen (...). Bei diesen Demonstrationen wurde auch – wie ich selbst gesehen habe – das Schaufenster eines jüdischen Juweliers in der Nähe des Kinos eingeschlagen.

Ein anderer Budapester: »Ich habe selbst gesehen, wie ein Jude von Leuten, die offensichtlich aus dem Film kamen, am Bart gerissen wurde.« Am brutalsten freilich sind die SS-Wachmannschaften der Konzentrationslager nach *Jud Süß*-Vorführungen. Ein ehemaliger Häftling von Sachsenhausen erlebte die sadistischen Ausbrüche seiner Bewacher am eigenen Leib:

Ich bin Jude und wurde Anfang 1939 von einer Strafkammer des Landgerichts Berlin wegen so genannter Rassenschande zu einer Zuchthausstrafe von 1 Jahr, 9 Monaten verurteilt (...). In Sachsenhausen kam ich als so genannter Rassenschänder sofort in die Strafkompanie (...). Eines Tages, es mag im Frühjahr, Sommer 1941 gewesen sein, wurden sämtliche Träger des Judensterns aus der Strafkompanie von ihren Kommandos zurückgerufen und mussten vor Block 10 antreten. Dort erklärten ihnen die Scharführer Knippler und Vickert, sie hätten jetzt – am Abend vorher – den Film Jud Süß gesehen und hätten nun gesehen, dass die Juden noch übler wären, als sie das bisher gedacht hätten. Daran knüpften sich die üblichen schmutzigen Beschimpfungen, mit denen Juden im Lager auch sonst bedacht wurden. Sie erklärten uns, dass wir aufgrund dieses Filmes einen ersten Denkzettel erhalten sollten. Wir mussten nun, es mögen etwa 25 Mann gewesen sein, einzeln in die Baracke eintreten und wurden dort einzeln von Knippler im Beisein Vickerts misshandelt. So hetzten sie auch einen Wolfshund, der sich ständig in ihrer Begleitung befand, auf uns. Einzelne Häftlinge trugen Bisswunden davon. Ich selbst musste mich auf den Tisch legen und erhielt von Knippler 10 Schläge mit dem Ochsenziemer. Andere bekamen erheblich mehr Schläge. Ich hatte den Vorteil, mit unter den letzten Misshandelten zu sein, sodass schon eine körperliche Ermüdung bei den Schlagenden eingetreten war. Auch der Hund hat mich glimpflich behandelt; er riss mir nur einige Fetzen aus der Kleidung, ohne mich körperlich zu verletzen. Von den Schlägen auf das bekleidete Gesäß habe ich blutunterlaufene Stellen und offene Wunden davongetragen. Allerdings kann ich natürlich nicht sagen, inwieweit diese Misshandlung mich besonders verletzt hat, da ich ja damals mich infolge der laufenden Misshandlungen bereits in einem reichlich zerschundenen Zustand befand. Außerdem hatten wir an diesem Tage vollständigen Essensentzug, was im Übrigen bei der Strafkompanie auch sonst häufiger vorkam (…). Im Übrigen ist mir zuverlässig geschildert worden, dass vereinzelte Misshandlungen aus Anlass der Vorführung des *Jud Süß*-Films auch im großen Lager erfolgt sind.

Ein *Süß*-Opfer ganz anderer Art ist der SS-Rottenführer Stefan Baretzki, der sich im Auschwitzprozess darüber beklagte, von der antisemitischen Gewalt des Films verführt worden zu sein:

Damals wurden uns Hetzfilme gezeigt wie *Jud Süß* und *Ohm Krüger*. An diese beiden Titel kann ich mich noch erinnern. Und was für Folgen das für die Häftlinge hatte! Die Filme wurden der Mannschaft gezeigt. Und wie haben die Häftlinge am nächsten Tage ausgesehen!

Aber nicht alle *Süß*-Besucher hassen Ferdls Juden. Es gibt halbwüchsige Bürgersöhnchen, die sich an der Nacktheit der überlebensgroßen Busen und Weiberschenkel auf der Leinwand erregen und Ferdls Vergewaltigungsszene als Onaniervorlage benutzen. An die Folter- und Vergewaltigungsszene erinnert sich eine Insterburgerin noch Jahre später sehr genau. Sie hatte sich in den Film reingeschlichen:

Ich kann mich an einen großen Hof erinnern, an die Söderbaum, deren Verlobter im Kerker war. Und sobald sie am Fenster war und mit einem Tuch

winkte, hörte das Geschrei auf. Dass der Jud Süß ihr gegenüber etwas erreichen wollte, das hat mich sehr beeindruckt (…).

Tiefe Sympathie für Ferdls tragischen Liebhaber empfindet eine
Besucherin, die vermutlich von Buchenwald wusste: »Ich sah den
Film in Weimar und war tief erschüttert. Ich muss sagen, mich
packte ein grenzenloses Mitleid mit dem ›Jud Süß‹«. An Bedauern
für den Hauptdarsteller erinnert sich 1999 der Berliner Schriftsteller Heinz Knobloch. Und es gibt kleine Mädchen aus gutem Hause,
die sich in Ferdls Juden verknallen: »Ich war damals dreizehn, sah
mir den Film drei- oder viermal an, schwärmte glühend für Ferdinand Marian und wurde prosemitisch eingenommen.« Eine junge
Schwäbin gesteht ihrer Begleiterin beim Verlassen des Kinos sogar:
»Hanno, ich weiß net. Also, der den Jud Süß gespielt hat, des war gar
net so a wüschter Dinger, wenn der mir zu nahe getrete wär, ich
weiß net, ob i da nein gsagt hätt.«

Zehn Jahre später wird Harlan den Staatsanwalt, der ihn wegen
Verbrechen gegen die Menschlichkeit anklagt, mit dem Argument
zum Schweigen bringen: »Marian hat nach dem Film *Jud Süß*
Waschkörbe von Liebesbriefen bekommen.«

Für Ferdls assimilierten Juden empfinden nicht nur Christen
Mitleid, sondern auch Juden, die 1940/41 nur mehr heimlich ins
Kino kommen konnten. Heimlich sah ein Berliner Jude vor seiner
Deportation nach Theresienstadt auch Ferdls Süß. Der danach
Erblindete erinnert sich genau an alle Einzelheiten des Films und
auch an die einzelnen Bilder: »Ich habe den Film zweimal gesehen
(…). Ich hatte bestimmt keine Hassgefühle (…) und auch das Publi-
kum hatte sie nicht. Das spürte ich.«

Dass *Jud Süß* von bezahlten Antisemiten besucht wird, dafür sorgen die Filmnarren Goebbels und Hitler (»Der Führer ist sehr eingenommen vom Erfolg von *Jud Süß*«), vor allem aber Himmler mit
einem Befehl an alle ihm unterstehenden Polizei- und SS-Einheiten. Dass der Film aber nicht nur von Antisemiten gesehen wird,
sondern auch Liebhaber von Kino-Opern und Melodramen auf ihn
aufmerksam werden und sich eine Eintrittskarte kaufen, dafür sorgen Erich Knauf und Heinrich Braune mit einer genialen Öffentlichkeitsarbeit für diesen Terrafilm. Die Antisemiten werden von

den beiden ehemaligen Sozialdemokraten und Antifaschisten mit Ikonen antisemitischer Erotik und Pornographie ins Kino gelockt, die Fans von teuren Kostümschinken und zu Herz gehenden Liebesdramen werden mit Standfotos von Kuss-, Tanz- und Bettszenen animiert. Diese Doppelstrategie verfolgen Knauf und Braune bei der Auswahl der Filmausschnitte für den Kinotrailer, vor allem aber bei der Werbung in Tageszeitungen und Illustrierten.

Für die Antisemiten benutzen sie dabei Motive, die es im Film gar nicht gibt, Stereotypen antisemitischer Postkarten. So markieren Ferdl und Werner Krauß Karikaturen von Judenschwuchteln und jüdischen Fetischisten nur für den Werbefotografen. Sie stecken einander gegenseitig goldene Ringe an, raffen silberne Armreife, Perlenketten und glitzernde Edelstein-Krönchen. Krauß mit Schmollmündchen, Ferdl mit einem altmodischen Zwicker auf der Nase. Und für eine antisemitische Fotomontage machen Knauf und Braune aus Ferdl einen riesengroßen jüdischen Neger, der sich lüstern der schönen weißen Kristina Söderbaum von hinten so weit nähert, dass er sie mit einem Griff vergewaltigen könnte. Knauf und Braune benutzen auch immer wieder Ferdls wollüstigen Schlafzimmerblick. Sie lassen seinen Kopf von verschiedenen Grafikern zeichnen, aus verschiedenen Untersichten fotografieren und für ein Plakat sogar malen. Dabei entsteht ein bunter lasterhafter Dracula, ein jüdischer Sexteufel mit grüner Haut und weißen stechenden Augen.

Ganz anders umwerben Knauf und Braune die Liebhaber von Melodramen. Ihnen erzählen sie mit opernhaften Standbildern die love story, die mit einer Liebe auf den ersten Blick beginnt und mit einer Vergewaltigung in einem prunkvollen spätbarocken Palais endet. Dazwischen gibt es Bilder von Ferdl und Kristina Söderbaum mit kostbaren Rokokokostümen in Kuss- und Tanzszenen und immer wieder Ferdls Kopf, mal mit dem Kussmündchen des sanften Kavaliers, mal mit der abweisenden Strenge des sadistischen Staatsbeamten. Dass dabei nicht vergessen wird, dass dieser gut aussehende Liebhaber Jude ist, daran sollen die Bildunterschriften erinnern: »Hände weg, Jude, von einer deutschen Frau!«

Ja, und Knauf und Braune sorgen außerdem dafür, dass es zwei verschiedene Programmhefte für *Jud Süß* gibt, eines für Antisemiten und ein zweites für Liebhaber des Melodrams. Der *Illustrierte Film-Kurier* wirbt mit dem lüsternen Judenkopf auf der Titelseite, mit dem Unheil träumenden Blick des Morgenländers. Die Liebhaber des Melodrams werden von der Konkurrenz versorgt, mit dem »Programmheft von heute mit Künstlerpostkarte«. Es lockt mit dem frechen und sinnlichen Mannsbild, das die widerstrebende Geliebte mit Gewalt an sich zieht, mit Ferdls Wildling und seiner erotischen Ausstrahlung.

Die Doppelstrategie von Knauf und Braune geht auf, einige Kinos und Zeitungen benutzen nur die antisemitischen Bilder, andere nur die Werbung für das Melodram, und eine dritte Gruppe wirbt mit einer Mischung aus beiden Bildvorgaben, mit dem Ergebnis, dass *Jud Süß* ein Publikumsrenner wird: im Reich, im befreundeten Ausland und im von deutschen Soldaten beherrschten Europa, in den Frontkinos und bei den SS-Einheiten, welche die Konzentrationslager in Deutschland und im Ausland bewachen. 450 Kopien sind ununterbrochen für private Kinos terminiert, weitere 150 stehen den vielen Gaufilmstellen zur Verfügung, der Wehrmacht im In- und Ausland, der NSDAP, der Reichsführung SS und anderen Propagandaämtern. Zum ersten Mal in der Filmgeschichte beherrschen deutsche Filmhändler den europäischen Kinomarkt und erzielen dabei enorme Gewinne. Mindestens 20 Millionen Zuschauer sehen europaweit den Film.

Diesen großartigen Publikumserfolg begleiten die Filmkritiker in Stadt und Land durchweg mit Hochachtung. Im *Badener Tagblatt* bewundert eine genau beobachtende Kritikerin Ferdls unerhörte Vielfältigkeit des Ausdrucks und der Gesten, die ebenso überzeugend wie abstoßend seien. Sie erkennt, dass es Ferdl um Verhaltensweisen des assimilierten deutschen Juden geht:

Hinter Zynismus und Verschlagenheit, hinter Servilität und aalglatter Geschmeidigkeit spürt man sichtlich das brennende Verlangen, zu den Anderen zu gehören, nach Verschmelzung mit den in Hass und Liebe umworbenen Gojim.

Bewundernswert ist Ferdl auch für einen Antisemiten in Weimar, weil er ihm Buchenwald rechtfertigt, weil er

die Gerissenheit, das Unverschämte, die Grausamkeit der Rasse, die er darzustellen hat, hinter der Maske des ›modernen‹ Juden zu verbergen weiß, wie aber aus den lauernden Augen, sobald er die Maske glaubt fallen lassen zu können, das jüdische Raubtier uns anfletscht.

Und Ferdl überzeugt auch die schwäbelnden Premierenkritiker, wenngleich der eine oder andere die böse Dämonie in ihren Abgründen vermisst. So sei Ferdl »der Jude Süß, der in seiner Darstellung beinahe eine gewisse Größe, allerdings eine satanische Größe, erhält«:

Vortrefflich gelungen ist die Doppelgesichtigkeit dieses Verbrechers und Volksverderbers, hinter dessen weltmännischer Maske der ewige Jude lauert. Es ist eine schauspielerische Leistung aus einem Guss, die Marian in die vorderste Reihe der deutschen Filmdarsteller gerückt hat.

Am 5. Oktober gibt es in Jena eine große Vorauskritik. Ferdls Leistung sei verblüffend und gehöre ohne Frage zu den besten dieses Künstlers:

Ja, wir glauben ihm, dass der Jude so ist. Deshalb gebührt dem Künstler Dank, dass er sich dieser Rolle untergeordnet hat im Dienste des Werkes und dass er dabei so überzeugte.

Auch im Norden Europas bekommt Ferdl gute Kritiken für seinen Juden, von den Finnen und Schweden, auch von den besiegten Norwegern und Dänen. Die Vorstellungen in Kopenhagen sind ausverkauft und die Zeitungen voll des Lobes: Ferdl sei ein Fund für die Rolle des Oppenheimer. Man könne sich seinen Süß nicht besser geformt vorstellen. Er habe eine Riesenleistung vollbracht, nach der an seinem großen Talent kein Zweifel herrschen könne. Und bei einer Umfrage in Oslo steht *Jud Süß* an dritter Stelle der besten deutschen Spielfilme im ersten Halbjahr 1941. Ferdls Schauspielkunst wird auch von den Italienern, Spaniern und Franzosen goutiert, ebenso von den besiegten Luxemburgern, Holländern und Belgiern. In der Theatermetropole Paris wird die hohe Schauspielkunst des internationalen Nobody sofort bemerkt. Im *Le Parisien* heißt es:

Marian (…) wusste, mit einfachen Mitteln seine außerordentlich schwierige Aufgabe so echt zu lösen, dass dies allein schon erhabene Kunst bedeutet.

Selbstverständlich wollen in der Spielzeit 1940/41 viele *Süß*-Besucher im Reich und im europäischen Ausland wissen, was dieser Marian für ein Mensch und Mann ist und woher der Schauspieler den Mut nimmt, in einer Zeit der organisierten Judenvernichtung einen nicht ganz unsympathischen Juden zu zeigen. Wer möchte 1940 in Deutschland schon Jude sein oder nur dafür gehalten werden? Bestehen nicht seelische Beziehungen zwischen dem Schauspieler und dem dargestellten jüdischen Bösewicht? Wie ist es Ferdl möglich, sich so in den Juden einzuleben?

Anfang des Jahres bringt die *Filmwoche* ein großes Kunstblatt vom feschen Ferdl zum Einrahmen und Aufhängen in einer Auflage von 50 000 Exemplaren. Und gleich mit zwölf Fotos kommt der Ross-Verlag auf den Markt. Da lümmelt Ferdl lässig auf einem Stuhl, mal als Salonlöwe mit einer Zigarette, die in einem langen Spitz glimmt, mal als Naturbursche mit einem feschen Jägerhütl, das er in die Stirn zieht. Er posiert als Sandalenträger, Sportler, Schriftsteller, Pfeifenraucher und als Trinker, der sich mit viel Ernst einen Schnaps einschenkt. Zwei der Bilder sind Filmpostkarten, zehn Kleinfotos in einem grünen Mäppchen, dessen Deckel ein kleiner ovaler Wechselrahmen ist, geschmückt mit einem blauen Sternenhimmel, aus dem Ferdl freundlich herunter schaut: A star is born! Ein Star, von dem sein Publikum wissen will, woher er kommt, wie er lebt und was er denkt. Das ist für den Limpert Verlag Grund genug, Ferdls Lebenslauf in den vierten Band biografischer Plaudereien mit Breuer, Fernau, Hörbiger, Knuth, Rökk und anderen aufzunehmen. Ein solcher Star hat selbstverständlich nicht nur für die Medienhändler einen Wert, sondern auch für die Medienbeamten in den Ministerien und Kammern, die sich mit den Publikumslieblingen gerne schmücken. Sie laden Ferdl zur Filmemachertagung ein und setzen ihn auf einen Platz, der von den Kameramännern der Wochenschauen leicht erreicht werden kann. Und selbstverständlich werben auch die Radiomacher für Ferdls Juden. Die Kinobesitzer nehmen sogar jüngere und ältere Filme mit Ferdl wieder in das Programm: *Habanera* wird nachgespielt, *Morgen werde ich verhaftet* sowie *Aus erster Ehe* und *Der Fuchs von Glenarvon*.

Der Erfolg mit Süß ist so nachhaltig, dass Ferdl selbst mit seiner kleinen Rolle des Cecil Rhodes in *Ohm Krüger* unübersehbar bleibt.

Es ist der vierte Staatsfeind, den er innerhalb von zwölf Monaten verkörpert, und wie Süß Oppenheimer ein Emporkömmling, jedoch kein Hebräer, wenn auch mit Juden verbunden, worauf die Journalisten von der Tobis besonders aufmerksam gemacht werden. Aus dieser zufälligen Ähnlichkeit zwischen dem Cecil Rhodes und Joseph Süß Oppenheimer macht Ferdl durch seine Darstellung eine natürliche Wesensgleichheit des Briten mit dem Juden. Denn alles an seinem Briten erinnert an den jüdischen Bösewicht, und nicht umgekehrt.

Die Premiere von *Ohm Krüger* findet im Ufa-Palast am Zoo statt und ist zugleich die erste Radio- und Fernsehpremiere, die ein Film mit Ferdl erlebt. In den Fernsehstuben Berlins sind die Geräte eingeschaltet. Auch Ferdl weilt unter den Premierengästen, aber ohne einen Platz in der Ministerloge. Dort sitzen neben Goebbels und Hippler Steinhoff und Jannings mit Frau, denn Premiere hat »Ohm Jannings«. Immerhin ist Ferdl als Jud-Süß-Darsteller inzwischen so bekannt, dass er sich am Ende der Uraufführung verbeugen darf. Und das auch in München, wo die Premiere einige Wochen später stattfindet. Der Kritiker der *Neuen freien Volkszeitung* schreibt über *Ohm Krüger*:

Sein Gegenspieler Ferdinand Marian als Cecil Rhodes hat, noch in bester Erinnerung von seinem *Jud Süß*, es auch diesmal verstanden, eine außergewöhnlich treffsichere Charaktergestaltung zu geben.

Und deshalb ist Ferdl mit seinem Cecil im August auch in Venedig, nicht nur zum Taubenfüttern, sondern auch um sich ein bisschen verwöhnen zu lassen von den Journalisten, die ihn von seinem Süß her künstlerisch schätzen.

Auch wenn *Jud Süß* 1940 keinen Preis in Venedig bekam, wird er von einer überwiegenden Mehrheit des Publikums als der eindrucksstärkste Film der Spielzeit 1940/41 gesehen. Er ist das Medienereignis der Saison. Das ergaben mehrere Leserbefragungen, die Anfang des Jahres von Tageszeitungen in verschiedenen Verleihbezirken unter dem Titel »Du und der Film« durchgeführt werden. Diese Leserbefragungen ergaben freilich auch, dass Ferdl mit diesem Film die Gunst des breiten Publikums nicht nur nicht gewonnen, sondern eindeutig verscherzt hat. Sein Name taucht in der Liste der Lieblingsdarsteller, wenn überhaupt, sehr weit hinten auf. Eindeutiger Publikumsliebling in der Spielzeit 1940/41 wurde Willi Birgel mit *Reitet für Deutschland* von Arthur Maria Rabenalt. Für diesen Misserfolg beim Publikum gibt es mehrere Gründe. Einer war Ferdls geringe Bekanntheit. Bekannt ist Ferdl am Ende der Spielzeit 1939/40 in Berlin, sicher auch in München und in Hamburg, aber kaum im Rest des Reiches. Die Terra muss deshalb den vielen kleinen Kinobesitzern in Großdeutschland zeigen, wie der Hauptdarsteller ihres Spitzenfilmes aussieht und den Zeilenschindern der Provinzzeitungen erklären, woher Marian kommt. Sie tut das im Presseheft, in ihren Werbe-Winken und in einem Terra-Sonderbericht »Ferdinand Marian als Jud Süß«. Trotzdem taucht sein Name in der Vorauswerbung oft gar nicht auf. Die kleinen Kinobesitzer werben lieber mit den Publikumslieblingen Söderbaum, Krauß und George und mit der Marke Harlan, was einen Verleiher zu dem satirischen Slogan inspiriert: »Auch der unbekannte Hauptdarsteller soll genannt werden.« Unbekannt ist Ferdl auch Lion Feuchtwanger, der 1941 von den USA aus in einem offenen Brief die Schauspieler des Films, den er gar nicht gesehen hat, namentlich beschimpft und verreißt, aber Ferdl nicht erwähnt. Diese weitgehende Unbekanntheit begünstigt die Gleichsetzung von Rolle und Schauspieler, 1940 eine tödliche Formel. Diese Gleichsetzung kommt aber nicht allein durch den Film zustande, den über 20 Millionen im In- und Ausland sehen, sondern vor allem auch durch die 20 bis 40 Millionen Zeitungsexemplare, in denen sein Gesicht zur Illustration des Juden Süß benutzt worden ist. Ein *Jud Süß*-Heftchen von Heinz von Arndt gibt es unter den *Aktuellen Filmbüchern* und einen Roman von Hans Hömberg im Ufa-Buchverlag. Wenige Tage nach der Berliner Erstaufführung beginnt die in Frankfurt erscheinende *Neueste Zeitung* mit einen Tatsachenbericht über Jud Süß, der über fünfzehn Folgen geht und in dem sie immer wieder mit Bildern von Ferdl wirbt.

Am 3. Oktober startet *Der Mitteldeutsche* – eine in Magdeburg in acht Ausgaben und einer Gesamtauflage von rund 160 000 Exemplaren erscheinende Tageszeitung den historischen Tatsachenbericht »Jud Süß. Hebräer, Mätressen und ein Galan«. Mit diesem antisemitischen Schundroman wirbt *Der Mitteldeutsche* bei seinen Landsleuten für den Film, aber auch für das Blatt, mit Zeichnungen und Filmfotos, die Ferdl nur als dunkeläugigen Kaftanjuden zeigen: »Das einzige an seine Rasse erinnernde Merkmal waren die zu vollen Lippen.«

Am 6. Oktober wirbt die als Sonntagsbeilage erscheinende Illustrierte *Deutsches Frauentum* in Leipzig mit Fotos aus der Vergewaltigungsszene. Und am 10. Oktober bringt die *Ostdeutsche Morgenpost* noch einmal Fotos von dem Verführer und einen Pressetext der Terra. Auch im tschechischen Teil des Theaterbezirks läuft die Vorauswerbung. Und am 18. Oktober wirbt auch noch einmal das *Deutsche Frauentum* für Ferdls Süß, mit Fotos vom sexuellen Wildling und rücksichtslosen Machtmenschen.

Mit Bildreportagen über Ferdls erotische Filmszenen, garniert mit Kupferstichen aus den Jahren 1737/38, wirbt ein Oberregierungsrat in Stuttgart. Sein NS-Sonderdruck »Jud Süß. Mätressen- und Judenregiment in Württemberg vor 200 Jahren« enthüllt das Luxus- und Liebesleben des Rasseschänders.

Es sind also die Printmedien, die Ferdl zum Juden stempeln. Sie machen nicht den Schauspieler zum Star, sondern die Rolle, den Juden, der von nun ab *sein* Gesicht trägt, an den er *sein* Gesicht verliert. Es muss angenommen werden, dass Ferdl von einer Mehrheit für einen Juden gehalten wird, was ja nicht das erste Mal wäre und ihn nicht liebenswert macht. Das Süß-Jahr wird zum Höhepunkt in Ferdls Schauspielerleben, zugleich aber auch zum Wendepunkt, an dem Ferdl erfahren muss, dass ein so großer Filmerfolg nicht kostenlos ist. Er bekommt nicht, wie geplant, die Hauptrolle in dem Spielfilm *Diesel* mit Erich Engel, auch nicht die Hauptrolle in dem Spielfilm *Musik in Salzburg*. Beide werden mit Willi Birgel besetzt. Auch sein Vorstadtcasanova mit Erich Engel kommt nicht zustande. Was also tun? Weitermachen nach *Jud Süß*, als ob nichts passiert wäre, was die Kollegen tun; emigrieren, was die jüdischen Komparsen des Films versuchten? Ferdl beschließt über die Schweiz nach Hollywood zu emigrieren, kommt aber nur bis München, wo er mit neuen liebenswürdigen Rollen sein Gesicht zurückgewinnen will. Er verabredet mit der Bavaria einen idealistischen Wissenschaftler (*Gefährliche Tiefen*) und einen moralisch sauberen Kriegsberichterstatter (*PK*) und mit den Kammerspielen eine Rolle in dem Schauspiel *Irrfahrt der Liebe* und macht nach dieser anstrengenden Spielzeit endlich einmal ausgiebig Urlaub. Das kann er sich auch leicht leisten, denn sein Jude hat ihm viel Geld gebracht, sogar Schmerzensgeld vom Minister persönlich. Ferdl reist nach Italien. »In Capri trafen wir auf meinen Schulfreund und Gefährten der Landstraße Ferdinand Marian.« Es ist Gustl Kernmayr, der das berichtet, auch so eine windige Figur aus Graz, ein Dichter noch dazu:

Wir versoffen unser ganzes Geld und telegrafierten der Filmgesellschaft, bei der er engagiert war, eine schöne Filmstory. Wir zerstritten uns am Tage, in der Nacht begossen wir uns die Nase, und am folgenden Tag schickten wir einträchtig noch eine Filmstory nach Berlin.

Mit Wiener Charme gegen das überlebensgroße Gesicht seines jüdischen Sexualverbrechers

Kindische Liebhaber (1941–1944)

Es hat sich viel verändert in den drei Jahren, die Ferdl von München weg war. Auf den Straßen müssen die Münchener sich nicht nur durch die vielen langsamen Leute vom Land drängeln, sondern auch durch Haufen Uniformierter und Verwundeter, vorbei an Juden, die es ebenfalls plötzlich auf den Straßen gibt. Sie sind am gelben Stern zu erkennen, den sie seit Herbst 1941 tragen müssen, die Arier dagegen nicht am Hakenkreuz, sondern am Blick, mit dem sie wegsehen. Die einen leben zusammengepfercht in Judenhäusern. Die anderen wie eh und je und besser. Ja, es hat sich viel verändert zwischen Geiselgasteig und Dachau. Das Chaos zwischen den Filmverwaltungen in München und Berlin ist inzwischen so groß, dass die Bavaria ihr Produktionsprogramm für 1941/42 umstellen muss und Ferdl erst Anfang 1942 beschäftigen kann, auch nicht in Geiselgasteig, sondern in Prag, wohin er bis zum Ende des Krieges immer wieder geschickt wird und wo Ferdl sich bald wohler fühlen wird als in München. Denn es ist ein Leben, das noch ein bisschen Luxus kennt. Immerhin gehört man in Prag zur Besatzungsmacht, die das bessere Geld und das Sagen hat. Es gibt keine ermüdenden Fliegerangriffe. Es ist ein Leben zwischen einem alten k. u. k. Nobelhotel und einem hochmodernen tschechischen Filmatelier, ein Leben wie in einer spätbarocken Wandertruppe berühmter Schauspieler aus ganz Europa. Prag ist voll mit Ungarn, Österreichern und Piefkes. Ja, und die tschechischen Frisöre in Barrandow, die Schneiderinnen, die Beleuchter, Tischler und Schlosser böhmakeln so vertraut, dass sich Ferdl seiner tschechischen Herkunft nicht mehr zu schämen braucht: »Imenuji se Haschkowetz!«

Zwischen der Goldenen Stadt und München kutschiert Ferdl bis zum Ende des Krieges oft hin und her. Er dreht zehn Filme, aber nur sechs davon kommen vor dem totalen Aus in die Kinos. In keinem der sechs Filme spielt Ferdl einen Bösewicht, er zeigt nur noch gute und liebenswürdige Menschen. Diese Figuren aber stehen nicht mehr im Schatten leuchtender Star-Kolleginnen und -Kollegen, sondern in dem seines jüdischen Sexualverbrechers, durch den Ferdl selbst zu einem Star in der Branche aufstieg. Sein erfolgreicher Architekt und Schürzenjäger Michael verliebt sich in eine Fotografin (*Ein Zug fährt ab*). Sein gleichnamiger Komponist und Frauenliebling verliebt sich in die Frau eines Buchhalters (Marianne Hoppe), die ihn durch ihr Lächeln zu einer Romanze inspiriert. Sein Zauberer Cagliostro schenkt dem Baron und Abenteurer Münchhausen (Hans Albers) ewige Jugend. Sein berühmter Hochseilartist Tonelli opfert sich für seine kleine Tochter. Sein stolzer Herrenreiter nimmt sich lieber das Leben, als als Krüppel zu existieren. Und sein Bauingenieur verliebt sich in eine junge Detektivin, die er für eine Diebin hält (Margot Hielscher).

Der Rollenwechsel vom jüdischen Sexualverbrecher zu sympathischen Figuren, einem Liebhaber mit einem kindlichen Gemüt etwa oder einem kinderlieben Vater, wird von der Bavaria sehr ausführlich begründet und von einigen Filmkritikern gedanklich fortgeführt. Das *Hamburger Fremdenblatt* kommt dabei zu folgendem Ergebnis: »Der Erfolg dieses Films«, gemeint ist *Jud Süß*,

nicht zuletzt um der Leistung Marians wegen – wirkt in ganz Europa bis in die jüngsten Tage fort. Und wieder wurden diese geheimen Kräfte der Beharrung wirksam, die auch Marian in den Bann der Rolle zogen. Ein unsichtbarer Riegel versperrte den Zutritt zu den früheren Gestalten (…). Und erst jetzt wieder findet er in einem Film *Ein Zug fährt ab* den Anschluss zur ›sympathischen‹ Rolle. So grotesk es klingen mag: eine überragende Leistung muss ›überwunden‹ werden, um den Bann der Suggestion zu lösen.

Für diese neuen sympathischen Rollen benutzt Ferdl Mimik und Gestik aus seinem reichen Repertoire eleganter Kavaliere und deftiger Naturburschen, mit denen er schon seinen Süß vertiefte. Dabei gestaltet Ferdl keine naiven Liebhaber, weil ihm diese niemand abnehmen würde. Denn zu oft war er Menschenverächter, um vor einem Menschen knien zu können. Er hat zu oft gelogen und gehasst, um gefühlvolle Liebesworte ehrlich zu flüstern. Ferdl versucht deshalb mit dem Kind im Manne die Mutterinstinkte seiner jeweiligen Geliebten zu wecken und die Sympathie seines Publikum zurückzuerobern. Aus seinem Architekten Michael (*Ein Zug fährt ab*) macht Ferdl einen eleganten Schürzenjäger, der liebenswert durch den kleinen Buben wird, der auch in ihm steckt und der sich an Mamas Schürze hängt. Ferdls Knabe hockt auf dem Boden und reagiert auf den Vornamen »Helene, Helena?« mit der Schnelligkeit eines Vorzugsschülers »Helena. Trojanischer Krieg. 1193 bis 1183.« Ist der kleine Junge zu frech, versteckt Ferdl sein Gesicht hinter einem Blatt Papier und gesteht: »Ich schäme mich.« Am liebsten möchte Ferdls Michael freilich Säugling sein und nackt auf dem Bauch liegen und von seiner Mama fotografiert werden, was sofort den Mutterinstinkt der Fotografin weckt: »Ich bedaure, ein Fell von Ihrem Format habe ich leider nicht. Ich mache nämlich wirklich nur Kinderfotos.« Auch der Komponist Michael (*Romanze in Moll*) schleicht sich mit bubenhaften Schwindeleien in das Herz der Madeleine. Es macht Ferdl sichtlich Vergnügen, ein Mamabubi zu zeigen, das vor lauter Hunger angeblich nicht weitergehen kann. Ferdl markiert den frechen Straßenjungen, der Madeleine die Pakete wegnimmt, damit sie ihm ins Restaurant folgen muss. Und er posiert als verkommener Michael, als Ladendieb, der die Restaurantrechnung nur mit einer echten Perlenkette bezahlen kann. Wird die Kindlichkeit von den beiden Liebhabern noch vorgetäuscht, so ist sie bei Ferdls Ingenieur Peters (*In flagranti*) ein fester Bestandteil seines Alltags. Er spielt fortwährend mit mechanischen Puppen, was seine Freundin sehr ärgert: »Ein erwachsener Mann spielt doch nicht.« – »Gerade ein Mann.«

Auf einer Bahnreise nach Wien lässt Ferdl seine mechanischen Puppen zwischen den Tellern tanzen. Seinen Tischnachbarn im Speisewagen gefallen die Puppen: »Das haben Sie wohl für ihre Kinder gekauft?« »Nein nein, ich habe gar keine Kinder.« »Aber Sie scheinen ein kindliches Gemüt zu haben?« »Wie? Ja ja, allerdings, gnädige Frau.« – »Bitte nehmen Sie ihren Tiroler aus meiner Suppe.«

»Oh, Verzeihung, gnädige Frau. – Bitte, Herr Ober, einen neuen Tiroler für die Suppe, äh eine neue Suppe für den Tiroler, für die gnädige Frau. Entschuldigung.«

Sein Liebling ist eine mechanische Ente, der die böse Detektivin gleich am Anfang den Kopf abgerissen hat. Ihn zu montieren und wieder zum Wackeln zu bringen, versucht der Ingenieur während des ganzen Films (Dabei wird klar, dass die Ente mit Donald Duck verwandt ist. Die Anspielung wird verstanden, denn Disney Figuren sind in Nazideutschland beliebt. Der letzte Film mit Mickey-Mouse lief am 18. Februar 1940. Die Popularität der Maus war so groß, dass sie sogar auf dem Wappen eines deutschen Schlachtgeschwaders erschien).

Nicht um das Kind im Mann, sondern um den Mann mit Kind, um den Vater, der sich für sein Kind opfert, geht es in dem Zirkusfilm *Tonelli*. Sein berühmter Hochseilartist fällt ins soziale Tief. Aber seiner kleinen Tochter zuliebe gibt er nicht auf, sondern fängt wieder ganz unten in einem Wanderzirkus an und schafft als Dummer August eine zweite internationale Hochseilkarriere. Neu ist dabei das Vatermotiv, das Tonelli zu einem Neuanfang anspornt. Es ist nicht die Liebe zu einer erwachsenen Frau, sondern die zu einem Kind, die Liebe zu seiner Tochter, die ihn abgöttisch wiederliebt und von den Kunststücken seines Clowns begeistert ist: »Noch mehr, Dummer August! Noch mehr!«

Während Ferdl dabei ist, seinen Rollentypus umzumontieren, arbeiten die staatlichen Mordfabriken deutscher Antisemiten bereits mit Zyklon B, gerechtfertigt von Ferdls Jud Süß, der seit 1940 in den verdunkelten Kinos gehenkt wird und gehenkt und gehenkt, im Reich, in Holland und in Frankreich, in Ungarn und in Polen, ja selbst in Südamerika. Und die Antisemiten aller Länder sind zunehmend begeistert. Im Herbst 1941 beobachtet ein deutscher Soldat flämische und wallonische Nazis nach einer geschlossenen *Süß*-Vorstellung in Antwerpen:

Es war, soweit ich an Daten und Uhrzeiten in Erinnerung habe –, gegen 22.00 Uhr. Aus dem Kino strömten zum großen Teil uniformierte Mengen, darunter einige deutsche Nazis in brauner Uniform. Aus der erregten Masse kamen gegen die Juden gerichtete Rufe und Drohungen (…). Von den an sich gutartigen Flamen hörte ich Rufe wie: aufhängen, totschlagen alle Juden, die

Juden, die Juden, die Juden, sie müssen nicht leben! Dem Sinne nach gebrauchten die Wallonen die gleichen Ausdrücke. Eine Gruppe der Leute stand unmittelbar an dem Vorraum des Kinos, die Passanten ansprechend. Einen jüdisch aussehenden älteren Herrn hielten sie an und fragten ihn, alle durcheinander, ob er Jude sei. Bevor der Herr Zeit zu einer Antwort gefunden hatte, wurde ihm der Hut vom Kopf geschlagen. Der Mann fiel zu Boden, ich half ihm aufstehen (…).

In Lyon geht es im November 1943 nicht viel anders zu. »Als der Film aus war«, erinnert sich Jahre später ein Leser der Wochenzeitung *Die Zeit*,

hatte sich das ursprünglich deutschfeindliche und mehr als skeptische Publikum derart gewandelt, dass es unter Drohrufen auf die Juden das Kino verließ. Ich hörte auch vielfach die Meinung ausgedrückt, den Juden geschehe recht, und wenigstens da hätten die Deutschen richtig gehandelt. Ich selbst war in Zivil und konnte also nicht erkannt werden.

Aber ebenso wie nach den ersten Aufführungen im Jahre 1940 gibt es auch jetzt noch Kinogänger, die mit Ferdls Süß eine melodramatische Liebesgeschichte erleben. Ein Hanseat, der nach einem mehrjährigen Auslandsaufenthalt gerade heimgekehrt war, erinnert sich an eine Vorstellung im Herbst 1942 in Hamburg:

Ich habe den Film als ein Kunstwerk und eine Regieleistung erster Ordnung empfunden, der in seiner Tendenz niemals einem Hetzfilm gleichgesetzt werden kann (…). Es würde meines Erachtens nicht einmal ein Wagnis bedeuten, heute den Film der Öffentlichkeit zugängig zu machen. Ich bin überzeugt, dass die Deutschen, die im Großen und Ganzen doch den Nazismus abgeschüttelt haben, diesen Film genauso empfinden und beurteilen würden, wie ich es tat zu einer Zeit, als das Dritte Reich den Zenit noch nicht überschritten hatte.

Und selbst Hitlerjungen werden 1943 durch Ferdls Süß nicht besonders animiert. Er wirkt auch bei ihnen ambivalent. Eine im Februar durchgeführte Befragung unter Hitlerjungen aus verschiedenen Gebieten ergibt, dass in der Liste der Filme, die gut gefielen, *Jud Süß* nur den 33. Platz einnimmt. Und auf Platz 37 kommt *Jud Süß* in der Liste der Filme, die gar nicht gefielen. Wie dagegen ein Judenjunge in diesen Jahren Ferdls Süß erlebte, erzählt Hans Rosenthal in »Zwei Leben in Deutschland«. Der ZDF-Entertainer sah Ferdls »Süß« 1942 in Torgelow, und zwar als siebzehnjähriger, zu Zwangsarbeit verpflichteter Berliner Judenjunge:

Ich schlich mich eines Abends in die Stadt, um ins Kino zu gehen. Welcher Film gezeigt wurde, wusste ich vorher nicht. Zuerst gab es die Wochenschau – Fanfaren, Frontberichte, Siegespropaganda. Dann lief *Jud Süß*. Das war schlimm für mich. Nie zuvor hatte ich so eindringlich erlebt, wie die Menschen gegen die Juden aufgehetzt wurden. So also versuchte die Nazi-Propaganda, das Volk gegen uns in fanatische Feindschaft zu treiben! Ich saß da, hatte meinen gelben Stern in die Tasche gesteckt und zitterte. Ich konnte nichts anderes tun, als vor diesem widerlichen Film die Augen zu schließen. Da spürte ich, dass neben mir jemand saß. Aus dem Augenwinkel erkannte ich das Profil eines hübschen, etwa sechzehn Jahre alten Mädchens. Nach Schluss der Vorstellung sprach ich es an. Die Kleine war sehr aufgeschlossen. Und ich war es auch. Schließlich brachte ich sie nach Hause und verabredete mich mit ihr für den nächsten Abend. Ein Wahnsinn! In der Eile hatte ich ganz vergessen, in welcher Lage ich war. Mir kamen Bedenken: Rassenschande! Zuchthaus! Todesstrafe! Begriffe, die jeden Tag in der Presse zu lesen waren, schwirrten durch meinen Kopf. Nein. Lieber nicht. Ich nahm alle Kraft zusammen und sagte dem Mädchen, wer ich war: ein jüdischer Junge aus dem Lager. Ich dürfte sie nicht wiedersehen. Ihre Reaktion war überraschend: »Ich mag dich. Du kannst zu mir nach Hause kommen. Alles andere ist mir ganz egal. Aber wenn du nicht kommst, zeige ich dich an.« Was sollte ich tun? Ich ging zurück, kroch in meinen Schlafsack im Verschlag und verstand die Welt nun gar nicht mehr. Am anderen Morgen erzählte ich Florent mein Erlebnis und bat ihn um Rat. Er besprach sich mit einem anderen belgischen Kameraden, und der kam auf die rettende Idee: »Du gibst mir deine Zivilsachen, Hans, und ich gehe zu ihr.« Nun, er war ein gestandener Mann, und ich war ein unerfahrener Junge. Gesagt, getan. Er zog sich abends heimlich um, Otto drückte beide Augen zu, das Rendezvous fand statt – und das Mädchen erwies sich als durchaus zufrieden mit dem Ersatzmann. Er hatte sein Vergnügen – und ich meine Ruhe.

Ferdls Spielfilm *Ein Zug fährt ab* hat im November 1942 in München Premiere, *Münchhausen* im März 1943 in Berlin, es folgen am gleichen Ort *Romanze in Moll* im Juni, *Tonelli* im Juli, die *Reise in die Vergangenheit* im November und *In flagranti* im Januar 1944, im heilen Marmorhaus auf dem Kurfürstendamm. Der Beifall ist stark und anhaltend, reicht aber gerade aus, Ferdls kaputtes Selbstwertgefühl für ein paar Stunden in Gang zu setzen. Denn das Gefühl der Leere und der Sinnlosigkeit wächst von Nacht zu Nacht, seit ihm die abendliche Droge Theaterpublikum fehlt. Auf der Bühne stand er zum letzten Mal im Frühjahr 1942 (*Ich brauche dich*). Danach gab es ja nur noch kurze Auftritte in Konzerten der Waffen-SS. Und dass Ferdl Staatsschauspieler wurde und das Kriegsverdienstkreuz bekam, war kein gleichwertiger Ersatz für den Bühnenrausch. Verstärkt wurde Ferdls Depression auch durch Demütigungen, die ihm sein Vater kurz vor dem Tode noch zufügte: Er enterbte seinen Sohn, mit dem Ergebnis, dass die unerträgliche Stiefmutter ihm verbieten durfte, sein Elternhaus in Trofaiach zu betreten, was Ferdls Bedarf an Kopfwehtabletten und anderen Betäubungsmitteln potenzierte. »Man trank damals in Prag sehr viel Alkohol«, wird sich der Ungar Géza von Cziffra Jahre später in seinem Buch »Ungelogen. Erinnerungen an mein Jahrhundert« erinnern:

Im Esplanade war der Zimmerkellner Vaclav der Hauptlieferant, und der Hauptabnehmer war mein Freund und Zimmernachbar, der Schauspieler Ferdinand Marian, der eigentlich Ferdinand Haschkowetz hieß und aus Graz stammte (…). Als ich am Abend des ersten Tages in Prag aus dem Barrandow-Atelier nach Hause kam, stand eine große Menschenmenge vor dem Hotel Esplanade, und in der Halle herrschte eine ungeheuere Aufregung. Aus einem Fenster im dritten Stock hing ein schreiendes junges Mädchen, festgehalten von einem Mann, der es hin und her schüttelte wie ein Staubtuch. Das Mädchen schrie wie am Spieß, bis es der Mann wieder ins Zimmer zurückzog. Der Mann war der völlig betrunkene Ferdinand Marian, das Mädchen seine zierliche, kleine tschechische Freundin. Als ich im dritten Stock ankam, standen Herr Hadik, der sehr liebenswürdige und sehr schwule tschechische Geschäftsführer des Hotels, und ein Kellner vor dem Zimmer 311, also vor Marians Tür, aber keiner traute sich hinein, obwohl die Tür offenstand. Ich versuchte mein Glück und rief durch die Türspalte: »Ferdl, hier ist Géza! Kann ich hereinkommen?« Keine Antwort. Aber kurz darauf trat das Mädchen Jarmilla aus dem Zimmer, ohne Tränen, ziemlich ruhig. »Gehen Sie nicht hinein, er wird jetzt gleich einschlafen.« Trotzdem betrat ich das Zimmer. Marian saß in einem Sessel, mit glasigen Augen vor sich hinstarrend, die Füße weit von sich gestreckt. Ich versuchte es mit einem freundlichen »Servus

Ferdl!« Aber er grunzte nur. Ich fragte das Mädchen: »Wollen wir ihn nicht ins Bett bringen?« Jarmilla böhmakelte fachmännisch: »Nein, nein, nur nicht rütteln. Er krabbelt schon allein ins Bett.« Damit ging sie. Ich hinterließ einen Zettel: »Soeben in Prag eingetrudelt, fand völlig besoffenen Marian vor. Wohne nebenan, Zimmer 310. Klopfe, bevor du ins Atelier fährst. Géza.« Um 7 Uhr früh holte mich Marian aus dem Bett. Er hatte keine Ahnung, was sich in der Nacht abgespielt hatte. Er erschrak gewaltig, als ich ihm erzählte, dass er seine Freundin fast umgebracht hätte, und gab mir die Adresse von Jarmilla Pavelka. Ich sollte nach ihr sehen, Marian konnte nicht, er musste dringend ins Atelier. Vor dem Hotel wartete schon der Produktionswagen. Als ich mittags bei der angegebenen Adresse klingelte, öffnete ein kleiner, schmächtiger, verängstigter Mann die Tür; Herr Pavelka, Jarmillas Vater. »Sie … bitte … wünschen?« fragte er mit zitternder Stimme. Ich schob ihn beiseite, trat ins Vorzimmer und schloss die Tür hinter mir. »Keine Angst, Herr Pavelka, ich bin nicht von der Gestapo.« Ich zeigte ihm meinen ungarischen Reisepass und fragte nach Jarmilla. »Sie ist vor einer Stunde zu ihrer Tante nach Eger abgereist. Die ganze Straße sprach schon über den Herrn Schauspieler. Wir sind schließlich Tschechen. Das kann nicht gut gehen.« Das war für Ferdl am Abend ein neuer Grund zum Trinken. »Ich hab halt Liebeskummer!« sagte er nach jedem Glas Sliwowitz. Er sagte es etwa fünfzehnmal. Dann setzte er sich an das Klavier, an dem vorher Peter Kreuder seine neuesten, sehr schönen Lieder zum besten gegeben hatte, und begleitete sich zu seinem Lieblingslied: »Ich bin a alter Drahrer …«

Endlich die Traumrolle in Prag (1944–1945)

Für die einen ist sie eine tschechische Lehrerin, mit der sie am Abend in der Halle vom Hotel Acron lustig zusammen sitzen und Schule spielen. Ferdl und Karl Hartl, der Produktionschef der Wien-Film, sind dabei die Schulkinder und stellen sich so dumm an, dass die Frau Lehrerin die beiden bestrafen muss, wofür alle viel Beifall bekommen. Für die anderen ist die blonde Tschechin ein Schöne der Nacht, eine Prostituierte. Und Kollaborateurin. Für Ferdl ist sie einfach seine Vlasta, seine Muse und liebe junge Mutti, die ihn zu seinen Dreharbeiten in Prag, Wien und Salzburg begleitet und ständig am Set sitzt und ihn von dort aus bewundert, was zusammen mit schwarzem Kaffee und Sliwowitz seinen krankhaften Hunger nach Publikum und Beifall stillt und ihn glücklich macht. Und Vlasta ist auch seine böse Mama, die er im Suff umbringen könnte. Bei einem solchen Jähzornanfall im Hotel Österreichischer Hof in Salzburg hat der besoffene Ferdl, so erinnert sich Bruni Löbel,

seine Vlasta, die immer bei ihm war, sage und schreibe am ausgestreckten Arm aus dem Zimmerfenster gehalten, direkt über der Salzach. Dann konnte er, wie auch sonst oft, in eine tiefe Grube von Traurigkeit fallen, aus der er nur schwer herauszuholen war.

Zwischen solchen Tagen der Niedergeschlagenheit und Tagen manischer Hochgefühle, zwischen Fliegeralarmen und Entwarnungen, spielt Ferdl weiterhin einige positive Charaktere. Zunächst zeigt er einen international berühmten Konzertpianisten und dessen sadomasochistische Beziehung zu einem bäuerlichen Jugendfreund und Kriegskameraden in den Alpen (Attila Hörbiger), der ihm in jungen Jahren wegen eines Mädchens ein Auge ausgeschossen hat. Aber die Dreiecksgeschichte geht gut aus, weil Ferdl so herzensgut verzichten kann. Danach stolziert Ferdl als französischer Spion und eleganter Lebemann durchs Atelier. In *Gesetz der Liebe* trägt er keinen Bart und sein Haar wurde so kurz geschnitten, dass er kaum wieder zu erkennen ist. Er darf mit Anstand verlieren, und das macht ihn so sympathisch. Sein Gegenspieler ist der junge Paul Hubschmid. Und die Frau, um die sogar gefochten wird, spielt

Hilde Krahl. Und Ferdl darf auch endlich die mit der Bavaria und Erich Engel im Herbst 1938 vereinbarte Traumrolle spielen, seinen Vorstadtcasanova in *Die Nacht der Zwölf*. Dieser heißt Leo und ist ein gut aussehender und vitaler junger Mann, der ganz schnell von ganz unten nach ganz oben will, dabei aber schon in vier Berufen gescheitert ist, zum letzten Mal bei einer Immobilienfirma in Leipzig, die ihn vor drei Monaten hinausgeworfen hat und nur noch auf Provisionsbasis beschäftigt. Seitdem lebt er als selbständiger Immobilienmakler und berufsmäßiger Heiratsschwindler in Berlin und hat auch sofort genug leer stehende alte Villen und allein stehende Weiber an der Hand, aber keine Käufer für seine Grundstücke und keine Braut, von der er leben könnte, – mit Ausnahme einer reichen Witwe vom Lande, die ihn an seinem Geburtstag zu ihrem Alleinerben ernennt. Da er es aber eilig hat, aus seiner ärmlichen Bude herauszukommen (»Das dauert mir zu lange, Frau von Droste!«), bringt er die feine Dame noch am selben Tag um, was ihm aber nicht weiterhilft, weil er unter Zeitdruck und aus Schlampigkeit übersieht, dass die Gnädigste das Testament erst am nächsten Tag beim Notar unterschreiben wollte. Aber das ist nicht der einzige kapitale Fehler, den er bei diesem beinahe perfekten Mord begeht. Er übersieht, dass er von einem Nachbarn gesehen worden ist. Und er übersieht, dass ihn die Polizei wegen eines Verkehrsdeliktes beobachtet hatte. So wird aus einem zweiten schnellen Frauenmord, den er plant, eine Falle der Polizei. Ferdl spielt diesen jungen Mann wie eine Doppelrolle. Leos wahres Gesicht zeigt Ferdl nur in dessen Bude, wo er sich versteckt und immer wieder neue Gaunereien ausbrütet. Hier lässt er sich gehen. Hier frisst und säuft er ohne Manieren und achtet überhaupt nicht auf sein Äußeres, mit Ausnahme seines Gesichtes, das ja sein Kapital ist. Es ist glatt rasiert, der fesche Schnurrbart gestutzt, das Haar voll mit glänzendem Fett, ganz die Visage eines zum Vorstadtcasanova avancierten Schlurfs. So zeigt ihn Ferdl gleich in der ersten Filmszene. Leo hat Geburtstag und gerade sein Frühstück beendet. An seinem Zahnstocher zuzelnd, schlitzt er mit dem butterverschmierten Tafelmesser die dicken Gratulationsbriefe seiner Verehrerinnen auf, zupft mit zwei zarten Fingern die Geldscheine heraus und steckt die Fotos zum Kartenspiel zusammen und schreit gleich, nachdem ihm die erste Idee gekommen ist, nach seiner Vermieterin, die er duzt und Mutti nennt und von der er kein Widerwort duldet.

Ein Lämmchen ist Leo, wenn er mit seinen Bräuten redet. So viel geküsst und gestreichelt hat Ferdl bisher in keinem Film. Er fährt an den Brüsten seiner jungen Kolleginnen entlang, reibt ihre Ohrläppchen, schiebt seine glatt rasierte Haut an ihre Wangen, seine sinnlichen Lippen an das frische Fleisch. Er öffnet und schließt seine Reptilienaugen, trägt die Frauen auf Händen, eine sogar durch die Kellertür, um sie die Treppe hinunter zu werfen. Aber Ferdl zeigt in keiner einzigen Liebesszene sein Geschlechtsteil, wie das heute selbstverständlich wäre, nichts von seinem großen Hinterteil, auch kein bisschen behaartes Bein, nicht einmal die breiten Schulterblätter, sondern verpackt seine Sinnlichkeit in seidene Hemden und Hosen mit messerscharfen Bügelfalten, in einen feierlichen Abendanzug oder in sportliche Straßenkleidung, entsprechend den sexuellen Verkleidungsfantasien seiner Kundinnen. Innerlichkeit und Innigkeit bietet er einer dummen Kuh vom Lande. Und stammen die Damen, die Leo betrügen, berauben oder umbringen will, aus reichen Häusern, dann ist Leo ganz Mann von Welt.

Ferdl spielt diesen Leo nicht als einen Heiratsschwindler, der sich vor den Augen des Zuschauers immer wieder verstellt und in verschiedene Liebhaberrollen schlüpft, sondern Ferdl zeigt dem Zuschauer übergangslos Leos Erfolge bei den Betrogenen. Einer nimmt er das Sparbuch ab. Der Anderen das Bargeld. Der Dritten die Halskette, die im Pfandl landet. Der Vierten die Anzahlung für die Möbel. Der Fünften den Pelzmantel, der ebenfalls im Pfandl landet. Der Sechsten Bargeld für Spielschulden. Der Siebenten einfach die Unschuld. Vor laufender Kamera aber verwandelt sich Ferdl nur, wenn Leo so sehr in die Enge getrieben wird, dass für ihn Lebensgefahr besteht. Dann lässt Ferdl seine jeweilige Maske fallen und zeigt, dass es hinter den vielen Leos einen einzigen gibt, nämlich ein Vieh, das um sein Leben zittert. Und das tut Leo zum ersten Mal nach der Mordtat, dann, als er sieht, dass er nicht alle Spuren des Mordes beseitigt hat und an seinen Fingern noch Nagellack klebt. Diese Entdeckung ängstigt ihn und nicht die Eifersucht, die seine kleine temperamentvolle Räuberbraut explodieren lässt.

Aus der Rolle fallen muss Ferdl auch in der Kaffeehausszene mit einer kleinen Sekretärin. Denn von ihr erfährt der liebe Leo, dass er nichts erben wird, weil die Ermordete das Testament noch gar nicht unterschrieben hatte. Und gleichzeitig wird ihm klar, dass die Naive ihn in ihrer berufsmäßigen Pedanterie um sein Alibi für die Mordzeit bringen kann. Und als die Polizei den Mord an Frau von Droste tatsächlich lückenlos rekonstruieren kann und Leo die Todesstrafe droht, zeigt Ferdl keinen Vorstadtcasanova, der Reue heuchelt, auch keinen Immobilienmakler, der um sein Leben schachert, sondern das großartige und ungebrochene Tier in uns, das laut- und regungslos auf diesen letzten Augenblick wartet, wenn es im Kampf um Leben und Tod dem Gegner unterliegt. Der Kriminalrat: »Nun, wollen Sie jetzt gestehen?« – »Es bleibt mir nichts anderes mehr übrig.« – »Sie haben einen Fehler gemacht, den jeder Verbrecher macht, kein noch so gutes, im Voraus konstruiertes Alibi verträgt eine Prüfung. Hätten Sie vor der Tat an uns gedacht, dann wäre Ihnen klar geworden, dass jeder Mord auch ein Selbstmord ist. – Abführen.«

Vorlage für diesen Film ist der Roman *Shiva und die Nacht der 12* von Felicitas von Reznicek. Er erschien 1943 in einer Krimireihe zur Unterhaltung der Landser an der Front. Shiva ist der Name des Kommissars. Der Frauenmörder in dem Roman heißt Matthias Schreiber alias Geßner. Aus ihm machten die Drehbuchautoren Felicitas von Reznicek, Fred Andreas und Paul May einen Leopold Lanski und mit diesem Namen aus dem Deutschen einen Juden, denn Lanski ist ein jüdischer Familienname aus Galizien und Litauen, wo ja auch Leos berüchtigter Namensvetter und Berufskollege herkommt: Meyer Lanski, der im New York der Vierzigerjahre eine jüdische Mördergang leitet.

Und aus dem jüdischen Frauenmörder Leopold Lanski der Drehbuchautoren macht der Regisseur Hans Schweikart mit Ferdl einen zweiten und zeitgenössischen Jud Süß. Auch wenn das Wort Jude kein einziges Mal vorkommt und Ferdl seinen Leo ohne jede antisemitische Eigenschaft zeigt, würde jeder Kinobesucher in der Spielzeit 1944/45 Lanskis Blicke, Gesten und Tonfälle mit dem Spielfilm *Jud Süß* vergleichen, der gerade wieder neu in den Kinos anläuft, mit viel Werbung im In- und Ausland, im Rahmen einer groß angelegten antijüdischen und antibolschewistischen Aktion des Ministeriums für Volksaufklärung und Propaganda. Aber aus Ferdls Traumrolle wird, Gott sei Dank, kein Albtraum. Leo kommt nicht mehr in die Kinos. Dort feiert Ferdls Hofjude, der sich seiner Herkunft schämt, ein zweites Mal Premiere, nicht nur im Altreich, sondern ein zweites Mal auch in den befreundeten oder besetzten Ländern Europas. Überlebensgroß blickt Ferdl in seiner Heimatstadt Wien von den Kinoportalen, in Mariahilf, Döbling und in der Brigittenau und warnt im Kinodunkel vor der jüdisch-bolschewistischen Weltgefahr. Ferdls *Süß* läuft in Frankreich, und gehört dort zu den deutschen Filmen, die 1944 den größten Erfolg erringen. Er läuft mit großem Publikumsandrang in Ungarn, das im März 1944 von deutschen Truppen besetzt wird. Ferdls Süß erklärt den Ungarn, warum sie ihre Juden deportieren und ermorden müssen. Und wie 1940/41 werben die Medien wieder intensiv für *Jud Süß*. Eine Wienerin schreibt zu der Wiederaufführung von Ferdls *Süß*: Es sei ein Film, bei dem zu allen Anschuldigungen dreimal ja gesagt werden müsse: »… Ferdinand Marian in der menschlich so undankbaren und künstl. so bedeutsamen Rolle des Jud Süß (…). Jeder soll diesen Film, der zurzeit in Wiederaufführung in der Urania läuft, sehen.« Und jeder soll selbstverständlich auch die Musik zu diesem Film hören, die nun im Radio läuft.

Auf dem Höhepunkte der antisemitischen Auslandsaktion soll Ferdls *Süß* sogar auf einem internationalen antijüdischen Kongress vorgeführt werden, der für den Sommer 1944 geplant wird. Die Elite der antisemitischen Internationale soll vor dem Weltjudentum warnen. Deutsche Politiker, Schriftsteller und Gelehrte, aber auch Engländer und geistreiche Journalisten, Juristen und Professoren aus Frankreich, angesehene Schweizer, noble Italiener, stolze Spanier und Portugiesen stehen auf der Teilnehmerliste. Aus dem osteuropäischen Bürgertum sollen Griechen kommen, Rumänen, Bulgaren, Serben und temperamentvolle Ungarn. Aus den nördlichen Ländern Europas werden Dänen erwartet, Norweger und Schweden, aber auch Balten und Finnen. Und sogar der Orient soll vertreten sein durch einen Iraker und den Großmufti von Jerusalem, dessen Nachkommen auch heute noch zu den weltweit anerkannten Spezialisten des Judenhasses zählen.

Dieser internationale antijüdische Kongress soll nicht im zerbombten Berlin stattfinden, auch nicht im antisemitischen Wien, sondern in der Nähe von Auschwitz, im altösterreichischen Krakau, wo Straßen, Plätze und Häuser daran erinnern, dass in dieser Stadt einmal sehr viele Juden gelebt haben, von denen die meisten deportiert und ermordet wurden, womit die Stadt zu einem Teil des Rahmenprogramms dieses Kongresses wird. Geplant ist auch eine Juden-Ausstellung, welche nicht vor dem peitscheschwingenden Herrn, sondern vor dem saugenden Polypen warnen soll, was auch mit der Vorführung jüdischer und antijüdischer Filme beabsichtigt ist. Eingeladen werden soll Werner Krauß, der gerade wieder einmal den Shylock einstudiert, nicht eingeladen werden soll Ferdl. Doch der Kongress kommt nicht zustande, weil die Rote Armee schon so nahe ist, dass sie bereits am 27. Januar 1945 die Häftlinge des Konzentrationslagers Auschwitz befreien kann.

Während also Ferdls *Süß* eine zweite offizielle Auferstehung erlebt und einen zweiten nicht zu stoppenden Kinoerfolg erzielt, der die Antisemiten darin bestärkt, bis zum Endsieg zu kämpfen, wird der Erfinder der genialen Öffentlichkeitsarbeit für *Jud Süß*, Erich Knauf, am 26. März 1944 wegen Wehrkraftzersetzung verhaftet und am 6. April 1944 zum Tode verurteilt. Im Juli 1944 wird Hans Meyer-Hanno, der im *Jud Süß* eine kleine Rolle spielt, verhaftet, wegen Vorbereitung zum Hochverrat und Feindbegünstigung angeklagt, zu drei Jahren Gefängnis verurteilt und am 22. April 1945 in Dresden ermordet. Ermordet werden auch die meisten der fünfzig jüdischen *Süß*-Komparsen, die in der Stadttorszene in Stuttgart einziehen und in der Synagogenszene tanzen mussten. Ferdl dagegen lebt weiterhin hervorragend, denn er gehört, wenngleich inzwischen ein haltloser Alkoholiker, zu den ›unersetzlichen Künstlern‹ und steht auf der ›Gottbegnadeten Liste‹ des Ministeriums für Volksaufklärung und Propaganda. Von Dezember 1944 an dreht er in Salzburg seinen letzten Film. Wo sonst Mozart über die Vergänglichkeit alles Irdischen spottet, geht jetzt der amerikanische Tod um. Er ruft nicht Jedermann, sondern meldet sich mit einem an- und abschwellenden Sirenenton. Seit dem 16. Oktober greifen amerikanische Piloten die Mozartstadt an und lassen wahllos ihre Bomben fallen. Über den Abortanlagen des Bräustübls im Kloster Mülln oder über dem Operationssaal im Barmherzigen-Brüder-Spital. Überm Küchenherd im Spiegelkeller oder über dem Bürgerspital. Diese meist noch sehr jungen Herrn aus den USA – wahrscheinlich zum ersten Mal über Österreichs Fremdenverkehrsmetropole – vernichten bei diesem Angriff die Alte Münze, das Museum, Mozarts Wohnhaus auf dem Makartplatz und die Kuppel des Doms, insgesamt 130 Gebäude, einschließlich 244 ihrer Bewohner, meist Frauen und Kinder. Intakt bleibt das alte Festspielhaus, wo Ferdl zwischen den Bombardements beweist, dass Verliebtheit nicht nur Jupiter, sondern auch einen zerstreuten Professor in einen Lausbuben verwandeln kann, von dessen Kindlichkeit sich vier künftige Mütter erregen lassen, gespielt von hoch begabten Komödiantinnen: Inge Köster, Bruni Löbel, Mady Rahl und Margot Hielscher. Die Außenaufnahmen finden im Schnee statt, in Hofgastein, in der Nähe eines Hauses, das 1945 noch von einer großen verschneiten Wiese umgeben war, heute aber von der Pension Berglift und der Talstation der Schlossalmbahn verstellt wird. Es waren die letzten Außenaufnahmen, die Ferdl machte und zu denen auch die Schauspielerin Bruni Löbel unterwegs war. Sie erinnert sich Jahre später noch an den Schock, den ihr das plötzliche Aus zufügte. Der Abschied von Ferdl wurde zu einem Servus und Adieu, das sich so nur Flüchtlinge zurufen:

Während ich mit meinen Siebensachen auf den Anschlusszug wartete, sah ich zwei Bahnsteige weiter Menschen stehen, die offenbar auf Anschluss in die entgegengesetzte Richtung, also nach Salzburg, warteten. Wie kann ich mein erschrockenes Erstaunen beschreiben, als ich unter ihnen Ferdinand und Vlasta stehen sah, ebenfalls mit Bergen von Gepäck. Ferdinand entdeckte mich zur gleichen Zeit. »Bruuni!« schrie er herüber, »wo willst du denn hin?« – »Ja, nach Hofgastein, zu euch!« schrie ich zurück. Ferdinand tippte mehrmals mit großer Geste an seine Stirn: »Bist du wahnsinnig?« schrie er. »Hofgastein ist eine Mausefalle! Der Skorzeny will die Klamm verteidigen. Da kommt niemand mehr heil heraus!« Ich stand wie vom Donner gerührt, während der drüben einfahrende Zug Ferdinand kurz meinem Blick entzog. Er erschien noch einmal an einem Abteilfenster und rief: »Wir gehen nach Vorarlberg. Mach's guuut!« Ich sah ihn noch eine Weile aus dem abfahrenden Zug winken. Es war das letzte Mal, dass ich ihn gesehen habe.

Die Unperson

Opfer von Alkohol und Siegerwillkür (1945–1946)

Auf der Flucht vor sich selbst suchte Ferdl schon einmal den Schutz der Tiroler Berge. Das war 1919. Der junge Ausreißer wollte ganz großartig unter dem Havelekar in Innsbruck logieren. Aber aus der Selbsterhöhung wurde nichts. Er brachte es nur über den Hausknecht zum Klavierspieler in einem Tschecherl. Der inzwischen international bewunderte, aber gemütskranke Filmstar sucht Ostern 1945 erneut Schutz in den Tiroler Bergen, wo es in seinen Wunschvorstellungen auf 2000 Meter einsame Almhütten gibt, nichts wie Alpenmilch und Bergspitzen und vor allem unauffindbare Höhlen, in denen er sich bis zum Jüngsten Tag verstecken kann. Diesen entgegen jagt Ferdl mit seiner Vlasta von den Außenaufnahmen in Hofgastein über Salzburg zunächst nach Innsbruck und dann weiter Richtung Konstanz, und zwar so wild gehetzt, dass er sogar auf einer Eisenbahnflak Schutz sucht. Der Truppführer dieses Vierlinggeschützes erinnert sich Jahre später an das Paar:

Ich hatte den Auftrag, den Personenzug Abfahrt Innsbruck 15.30 Uhr gegen Tiefflieger zu schützen. Als der Zug sich in Bewegung setzte, sprang ein Herr und eine Dame auf das zweite Geschütz, die sich mir später in der Unterkunft als Ferdinand Marian und eine Tschechin namens Vlasta vorstellten und mich baten, sie mitzunehmen. Marian erzählte mir dann genau, wie es dazu kam, dass er, wo er doch kein Parteigenosse war, die Rolle des ›Jud Süß‹ übernehmen musste.

Mit dieser Befehlsempfängernummer kommt Ferdl immer wieder

gut voran und landet schließlich in dem an der Grenze zwischen Tirol und Bayern gelegenen Ostrachtal. Hier in Hindelang bekommt er, den wegen seiner Judendarstellung jeder kennt, im Gästehaus vom Gasthof Krone ein schönes Südbalkon-Zimmer im ersten Stock. Es hat einen herrlichen Blick. Hindelang liegt ja inmitten hoher Berge und erinnert landschaftlich und mit seiner Erzverarbeitung an Trofaiach. Ferdl ist nicht der Einzige, der in diesem Nobelversteck der Alpenfestung die deutsche Niederlage abwarten will. Die Täler sind mit Seinesgleichen überfüllt. In Hindelang wohnt der Filmschauspieler Sepp Rist (*Geierwally*) und der Kunstmaler Walter Jacob. René Deltgen in Sonthofen. Konrad Zuse hockt mit seinem Computerteam in Hinterstein. Wernher von Braun logiert im Hotel Ingeburg im Oberjoch. Ilse Heß, Frau des Stellvertreters des Führers, besitzt ein schönes Anwesen in Gailenberg.

Ferdl und Vlasta verkostigen sich selber, vor allem mit viel Fleisch von geschlachteten Heerespferden, die Voraussetzung für ein original ungarisches Gulasch, welches die einheimischen Älpler natürlich nicht goutieren. Ferdl und Vlasta leben sehr zurückgezogen, nicht nur wegen des scheußlichen Schneetreibens, sondern weil sie Angst haben. Schon bei ihrer Ankunft am 27. April 1945 können sie hören und sehen, dass die Täler und Almen rundum voll sind mit schießwütigen SS-Rotten, Werwölfen der NS-Ordensburg und sonstigen ›Freiheitskämpfern‹. Und Angst machen auch die Gerüchte über den kampflosen Einmarsch der Franzosen am 30. April in Sonthofen. Die 2. Marokkanische Infanteriedivision *Jasmin* und 600 befreite Fremdarbeiter sollen die Nacht zum 1. Mai im Stil einer afrikanischen Voodoo-Messe feiern, mit viel Alkohol, Raubüberfällen, Schändungen, Vergewaltigungen, Mord und Totschlag. Aber mit dem spürbar einkehrenden Frühling, mit der bedingungslosen Kapitulation am 8. Mai, dem Abzug der Franzosen und dem Einzug der Amerikaner stabilisiert sich die Lage im Ostrachtal. Ferdl vernimmt die ersten Lebenszeichen von Kollegen und Freunden. Seine Frau Maria soll in Kufstein Unterschlupf gefunden haben, wahrscheinlich bei einem alten Liebhaber. Axel von Ambesser soll in Bamberg sitzen, Schweikart und Hielscher in Salzburg. In Mondsee Werner Krauß. Veit Harlan und Kristina Söderbaum bei den Engländern in Hamburg, auch Käutner. Heinrich George bei den Russen in Berlin. Hans Albers am Starnbergersee, wo ihn die angeblich schönste Frau der Welt in amerikanischer Uniform und am Steuer eines Jeeps der US-Army besucht haben soll: Marlene Dietrich. Und Mut machen Klatsch und Tratsch über Neuanfänge in den Trümmern von München. Da gibt es eine Schaubude, die ein literarisches Kabarett plant. Im Münchner Volkstheater sollen Komödien einstudiert werden. Das Neue Münchner Theater bereitet ebenfalls mehrere Inszenierungen vor. Das Bayerische Staatstheater will bald den Opernbetrieb aufnehmen. Erfährt Ferdl auch, dass sein Spielfilm *Freunde* am 4. August in Wien ganz groß Premiere haben wird – in der Scala? Zu Gunsten der »Volkssolidarität«, unter der Ägide und Schirmherrschaft von Ernst Fischer, den Ferdl von Graz her kennt. Fischer war dort einst sozialdemokratischer Theaterkritiker und Schriftsteller. In einem seiner Stücke ist sogar Ferdl aufgetreten. Fischer wurde Kommunist und emigrierte 1934 über Prag nach Moskau. Er kam mit der Roten Armee zurück nach Wien und ist seit dem 27. April Staatssekretär für Volksaufklärung, Unterricht und Erziehung und Kulturangelegenheiten in der Provisorischen Regierung der Neuen Republik Österreich. Ein Engagement am Burgtheater müsste doch drinnen sein, für einen alten Freund!

Aber Ferdl könnte jetzt gar nicht nach Wien gehen, denn er hat bereits seinem Freund Erich Engel zugesagt, der seit Ende Juli Intendant der Kammerspiele ist und der sich auch um die Spielerlaubnis kümmert, die Ferdl von den Amerikanern braucht. Engel geht dabei ganz informell vor. Er füttert die Bürokraten zuerst einmal mit zwei eidesstattlichen Erklärungen. Eine stammt von Ferdl, die zweite von Harlan. Ferdl verschweigt in seiner Geschichte der Übernahme der Rolle bewusst, dass Jud Süß nicht seine erste Judenrolle war, dass er vor 1933 bereits viele kleine Judenrollen gespielt hat, ja sogar einen Ahasver in Trier. Ferdl verheimlicht sogar die Bewunderung, die er mit seinem Jago in der Regie von Erich Engel 1938/39 bei Goebbels erzielte. Und Ferdl versucht auch nicht, sich als innerer Emigrant aufzuspielen, wie das 1945 so Mode ist, sondern er macht aus sich einen Filmhelden, wie ihn Amerikaner gerne mögen, einen Mann, der allein gegen die bösen Nazis angetreten war. Er erzählt von einem Mann, der sich wie ein positiver Westernheld zunächst weigert, in eine Sache hineingezogen zu werden, die ihn nicht nur nichts angeht, sondern die er verabscheut und vor der er seine Frau schützen möchte. Dieser Mann und Schauspieler lehnt Brauers Rollenangebot ab, mehrere Male, auch das Angebot von Harlan und hofft mit einer Audienz bei Goebbels, die Sache los zu werden. Aber das ist ein tragischer Irrtum, den auch der positive Westernheld begeht. Der Bösewicht erzwingt den Kampf auf Leben und Tod, den der gute Westernheld widerwillig, aber aktiv aufnimmt und am Ende siegreich besteht. Auch der Schauspieler Marian übernimmt die Rolle, um seine Frau zu schützen, zeigt aber nicht die befohlene antisemitische Karikatur, sondern Szene für Szene und Satz für Satz einen Juden, der nicht Abscheu, sondern Mitleid und Mitgefühl erweckt. Es ist ein happy end, aber voller Selbstzweifel, weil es zu viele Opfer gekostet hat. Und dass das alles stimmt, könne Erich Kästner bestätigen, dem im Sommer 1945 alle großkopferten Münchner in den Arsch kriechen, weil er angeblich eine weiße Weste besitzt.

Auch Harlan kann bestätigen, dass sich Ferdl ihm gegenüber geweigert hat, die Rolle zu übernehmen, und dass die Weigerung eines Künstlers mit der Befehlsverweigerung eines Soldaten gleichgestellt wurde.

Mit diesem ersten Versuch, Ferdl zu engagieren, kommt Erich Engel bei den Amerikanern gut an. Sie finden seinen Schützling sympathisch, können sich aber nicht entschließen, Marian eine Spielerlaubnis für Engels Inszenierung *Unsere kleine Stadt* zu geben, nur Ferdls Frau, Maria Byk, darf auftreten, immerhin war sie ja in erster Ehe mit einem Juden verheiratet. Die Aufführung von Thornton Wilders szenischem Hörspiel findet am 4. Dezember 1945 in den Kammerspielen statt und kommt nicht nur beim deutschen Stammpublikum hervorragend an, sondern ganz besonders bei den amerikanischen Theateroffizieren, was Erich Engels Ansehen und Reputation in der US-amerikanischen Militärbürokratie deutlich verbessert, denn sein schnelles Engagement für einen amerikanischen Autoren lässt die Bereitschaft vermuten, den Amerikanern bei der Eroberung des deutschen Medienmarktes zu helfen. Dieser wird zur gleichen Zeit von verschiedenen Marktforschern in Uniform getestet, unter anderem von Billy Wilder.

Es ist deshalb kein Zufall, dass Engels nächster Versuch, Ferdl zu engagieren, deutlich erfolgreicher endet als sein erster Schritt, wobei ihm freilich die Kommunisten in der Sowjetischen Besatzungszone zu Hilfe kommen, ob zufällig oder hinterlistig eingefädelt, ist nicht mehr zu rekonstruieren. Ferdl verabredet jedenfalls im März 1946 mit dem Generalintendanten Hans Viehweg, in Weimar als Hamlet zu gastieren und sich danach beim Aufbau und bei der Nachwuchserziehung zu engagieren. Diese Vereinbarung wird am 26. März von Dr. Paul, dem Präsidenten des Landes Thüringen, bestätigt und mit einer klaren Abwerbung verbunden:

Das Land würde es als besonderen Gewinn empfinden, wenn Sie sich entschließen würden, München mit Weimar zu vertauschen. Der besonderen Unterstützung der Landesverwaltung sind Sie dabei gewiss.

Ferdl ist von dem Angebot begeistert, zögert aber mit der Zusage wegen der Warnungen amerikanischer Beamter. Er antwortet:

Als ich nun in den vergangenen Tagen einige mir vorgesetzte Dienststellen besuchte, um meine Abreise vorzubereiten, erfuhr ich einige Tatsachen, die mich veranlassen, Sie um Aufschub meines Gastspieles in Weimar zu bitten, ohne dabei ›aufgeschoben‹ gleich ›aufgehoben‹ zu setzen. Da gegen mich nichts anderes vorliegt, als nur der Jud Süß, bin ich nicht verboten und stehe auch auf keiner Liste. Es heißt aber immer, ich soll warten. Wie lange kann ich nicht erfahren. Man neigt hier zu der Ansicht, dass die amerikanischen Behörden mein öffentliches Auftreten in einer anderen deutschen Zone zu einem Zeitpunkt, an dem ich amerikanischerseits noch nicht zugelassen bin, als unkorrekt empfinden würden und die endgültige Entscheidung meines Falles dadurch ungünstig beeinflusst werden könnte. Dann erfuhr ich, dass eine Abmachung der vier Besatzungsmächte besteht, derzufolge neuhergestellte deutschsprachige Filme durch eine gemeinsame Kommission aller vier Mächte zensuriert werden müssen. Entsteht nun durch mein vorzeitiges öffentliches Auftreten in einer anderen deutschen Zone bei den amerikanischen Behörden eine Verstimmung, die zu einem endgültigen Verbot oder auch nur zu einer Belassung meiner ungeklärten Situation auf unbestimmbare längere Zeit führen würde, so könnte mich praktisch in Zukunft kein deutscher Filmproduzent engagieren, weil er damit rechnen müsste, dass meine Filme in der amerikanischen und englischen Zone nicht zur öffentlichen Vorführung zugelassen werden. Obwohl ich vom Theater komme und so sehr an ihm festhalten und immer zu ihm zurückkehren werde, ist mir doch der Film zu einer Ausdrucksform geworden, auf die ich aus persönlichen und zeitgebundenen künstlerischen Gründen auch nicht mehr verzichten kann. Zumindest werde ich bestrebt sein, alles zu vermeiden, was zu dieser für mich schwer ertragbaren Situation führen könnte. Ich bitte Sie das zu verstehen. Aus denselben Gründen habe ich eine Aufforderung der französischen Behörden, die mich wohl nach dem Gesetz der Duplizität vor zwei Tagen erreichte (Gastspiel in Baden-Baden, Freiburg und Konstanz) ablehnen müssen. Sie können sich vorstellen, wie schwer es mir fällt, mich jetzt nicht Hals über Kopf in die Arbeit in Weimar zu stürzen, die Sie mir durch Ihr Angebot und die russischen Behörden durch die positive Beurteilung meines Falles da eröffnet haben. Ich bitte Sie also, wenn es in Ihre Dispositionen passt, mir das bestehende Interesse an meiner Tätigkeit in Weimar zu erhalten. Ich werde versuchen hier eine Klärung herbeizuführen. Weit reichen in diesem Sinne meine Kräfte und Möglichkeiten allerdings nicht. Aber es muss ja einmal so oder so werden. Wenn Sie in nächster Zeit meine Reise nach Weimar wünschen, würde ich sehr gern auf einige Tage kommen, um die Möglichkeiten einer persönlichen Aussprache mit Ihnen und Herrn Viehweg auszuschöpfen.

Ferdls Verhandlungen mit Weimar machen den amerikanischen Militärbürokraten sofort klar, dass sie Gefahr laufen, einen berühmten deutschen Filmstar an die Russen zu verschenken, was ihnen nicht nur schlechte Noten der antikommunistischen Presse im Westen einbringen würde, sondern auch schlechte Bewertungen durch ihre bereits den Kalten Krieg vorbereitenden Dienstvorgesetzten. Deshalb genehmigen sie am 18. April 1946 Erich Engel, Ferdl zu engagieren, was Engel sofort an Ferdl telegrafiert:

Betrachte unsere mündliche Abmachung als perfekt stopp Habe Captain van Loons Einwilligung stopp freue mich unsinnig und erwarte dich möglichst bald bei mir. Herzlichen Gruß dein Erich Engel.

Aber die Freude ist von kurzer Dauer, denn Intendant Erich Engel benötigt für das Engagement auch die Zustimmung der bayerischen Behörden, die er aber nicht sofort bekommt, auch nicht nach der Vorlage von Ferdls am 17. Mai abgegebenem Meldebogen auf Grund des Gesetzes zur Befreiung von Nationalsozialismus und Militarismus vom 5. März 1946 und auch nicht nach mehreren

Interventionen bei dem Herrn Antinaziminister Schmitt – was ein so ungewöhnlicher Willkürakt und eine so klare Schikane ist, dass sogar im kommunistischen Thüringen darüber gerätselt wird. Am 2. Juli fragt der Präsident des Landes Thüringen seinen Intendanten in Weimar: »Ist Ihnen bekannt, von woher konkret gegen Marian geschossen wird?«

Von woher ist nicht überliefert. Aber mit großer Wahrscheinlichkeit aus bayerischen Amtsstuben. Denn die Bearbeitung seines am 17. Mai abgegebenen Meldebogens wird verzögert und erst zwei Jahre nach Ferdls Tod abgeschlossen. Am 19. Oktober 1948 vermerkt ein Beamter in den Akten des öffentlichen Klägers für Freising-Stadt, Hauptkammer München-Land:

Von der Beantragung einer Anordnung auf Verfahrensdurchführung nach Art. 37 des Befreiungsgesetzes wird Abstand genommen, da der/die Betroffene nicht als Hauptschuldiger oder Belasteter im Sinne des Gesetzes anzusehen ist.

Diese sich über Jahre hinziehende Schikane und Entscheidungsfaulheit militärischer und ziviler Beamter ist für Ferdl eine tägliche Demütigung, aber nicht nur das, das Spielverbot hat auch zur Folge, dass Ferdl seinen Hunger nach Publikum immer öfter und exzessiver mit Alkohol betäuben und gleichzeitig, weil er nur noch von Gespartem leben kann, einen sozialen Abstieg antreten muss. Er gibt die teure Hotelunterkunft in dem Nobelversteck Hindelang auf und zieht am 1. August 1945 um in ein billigeres Quartier in Freising nahe München. Hier lebten vor dem Krieg etwa 19 000 Menschen, nach dem Krieg suchen Flüchtlinge, ehemalige KZ-Häftlinge, Kriegsgefangene, Fremdarbeiter, Vertriebene, weiße und schwarze Amerikaner, Juden, Ukrainer, insgesamt 40 000 Menschen aus 29 Nationen, ein Dach über dem Kopf, was kaum zu finden ist, weil viele Wohnungen durch Fliegerangriffe und Bodenkämpfe zerstört wurden. Und weil die Freisinger und Fremden nicht nur vegetieren, sondern endlich wieder sündig leben wollen, gibt es in diesen Hunger- und Hamsterjahren immer wieder Verkehrsunfälle, Ausgehzeitüberschreitungen, verbotenes Tragen amerikanischer Uniformen, Schwarzmarktdelikte, Diebstähle, Raubüberfälle, Prostitution, Vergewaltigungen, ja sogar Mord und

Totschlag. Dass Ferdl in diesem überfüllten Nachkriegs-Freising überhaupt ein möbliertes Zimmer findet, verdankt er der hilfsbereiten und lebenstüchtigen Hausfrau und Mutter Cäcilia Köstler. Er kennt sie von den Dreharbeiten zu *Dreimal Komödie* in Salzburg und Hofgastein, wohin sie ihre vierzehnjährige Tochter Inge begleitete. Inge spielte die jüngste der drei Schwestern. Und Mutter Cäcilia, eine Courage, verschafft dem Filmstar nicht nur eine Unterkunft, sondern nimmt ihn und Vlasta gleichzeitig in ihre Familie auf. Sie versorgt ihn mit allen möglichen Dingen des Alltags, lädt ihn ein zum Kaffeetrinken, zu einem Glas Wein mit ihrem Mann, der sich gerne Ferdls Gejammer anhört, ja Cäcilia kocht dem Wiener sogar seine Leibspeisen. Aber auch diese großartige Retterin in der Not kann Ferdls zunehmenden Verfall nur bremsen, nicht stoppen. Seine alkoholischen Exzesse auf den zahlreichen Parties werden immer ordinärer. Alle Frauen seien Huren und hinter dem Geld her. Einmal hockt er völlig besoffen auf dem Klo. Sein Kopf und seine Hände sinken dabei so tief nach unten, dass er meint, es ginge beim Fußboden hinaus. Weil er dort aber mit dem Kopf anstößt, fühlt Ferdl sich eingemauert, kriegt Platzangst und brüllt um Hilfe. Ja, und Ferdl hat keine Hemmungen, mit einem bezahlten Gehilfen seine Garderobe in Geiselgasteig zu stehlen und auf dem schwarzen Markt in Freising zu verkaufen. Er plant sogar einen Kirchenraub. Ein Altarbild im Dom hat es ihm angetan, in der Krypta ein Leuchter (»Den muss ich haben!«). Einem solchen sich selbst zerstörenden Scheusal das Leben zu retten, ist nicht jedermanns Sache. Die fünfzehnjährige Katholikin Inge tut es, obwohl sie Ferdl nicht leiden kann. Sie erinnert sich noch Jahre später an ihre Rettungsaktion:

Unsere Wohnung war neben einem Gasthaus Sperrer in Freising. Zurzeit wurde dort eine Gruppe von früheren KZ-Insassen, die von den amerikanischen Truppen befreit wurden, untergebracht. Sie standen oft auf den Straßen herum um das Neueste zu diskutieren. Eines Tages, als Ferdinand und Vlasta unsere Wohnung verließen, wurden die Männer auf ihn aufmerksam und erkannten ihn scheinbar als den Darsteller von ›Jud Süß‹. Plötzlich umringten sie ihn und fingen an auf ihn zu schimpfen. Wir hörten von unserem Fenster im 1. Stock die Unruhe, besonders wurde ›Jud Süß‹ dauernd erwähnt (...). Wir machten uns natürlich große Sorgen und wollten eine Schlägerei vermeiden. Ich kannte zurzeit einen jungen amerikanischen CIC Offizier, der genau gegenüber im Hotel Bayrischer Hof ein Büro hatte. In dieser verzwickten Situation haben wir ihn um Hilfe gebeten. Er kam auch sofort mit seinem Jeep angefahren und brachte Marian und Vlasta in Sicherheit. Nebenbei bemerkt bin ich mit diesem Mann seit 42 Jahren verheiratet und er hat auch mir öfters aus Schwierigkeiten geholfen.

Und nebenbei bemerkt, dieser Retter war Berliner und musste emigrieren, weil sein Vater Jude war.

Seit dem 1. August 1945 pendelt Ferdl zwischen Freising und München hin und her, immer in der Hoffnung, eine Spielerlaubnis zu erhalten. Bei jedem beamteten Schikanör in Zivil und in Uniform entschuldigt er sich für seinen überlebensgroßen Juden. Den letzten großen Kotau macht er nach einer Vorführung in Geiselgasteig. Anwesend sind Militärs und Emigranten. Auch Erich Pommer. Der Film sei gut gemacht, was die hetzerische Wirkung des Films nur verstärke, so sein Kommentar. Er halte den Film für gröbste Rassenhetze, deren Folgen Dokumentarfilme zeigten, wie die *Todesmühlen* von Hanuš Burger, mit dem Ferdl seit Hamburg befreundet ist. Am 9. August 1946 ist Ferdl wieder einmal mit Vlasta in München. Weil es zwischen den beiden einen Streit gibt, bleibt sie zurück. Ferdl fährt mit Karl Hermann und Erna Ladislava heim. Karl ist Halbjude aus Prag und vor den Russen geflüchtet, Ladislava dessen Verlobte. Knapp vor Freising passiert das Unglück. Darüber steht im Neuigkeitsbuch der örtlichen Hauptwache:

Am 9. 8.46 gegen 20.45 Uhr wurde das hiesige Revier telefonisch verständigt, dass sich auf der Münchnerstraße oberhalb Schlüter ein schwerer Verkehrsunfall mit Personen- und Sachschaden ereignet hat. Ich habe mich mit Wachtm. Huber (…) sofort an den Unfallort begeben. Dabei habe ich festgestellt, dass der Unfall 100 m oberhalb der Stadtgrenze war. Zuständigkeitshalber wurde sofort der Landpolizei-Hauptposten verständigt. Bis zum Eintreffen der Landpolizei habe ich die notwendigen Maßnahmen getroffen. Die 2 beifahrenden mit Verunglückten, Hermann Karl, wohnh. Freising, Untere Hauptstraße 50 u. Erna Ladislava, wohnh. Jahnstrasse 7, wurden leicht verletzt und sind durch die San.-Kolonne in das Krankenhaus eingeliefert worden. Schauspieler Marian ist bei dem Unfall tödlich verunglückt. Angeblich durch 2 Zeugen ist Marian selber gefahren u. durch ein zu hohes Tempo von München kommend bei Dürneck an einen Baum gefahren.

Jude im multimedialen Totenreich

Am 3. Januar 1948 bitten die Notgemeinschaft der durch die Nürnberger Gesetze Betroffenen und das Komitee ehemaliger politischer Gefangener, die Vereinigung der Verfolgten des Naziregimes (VVN), den Generalstaatsanwalt in Hamburg, den *Jud Süß*-Regisseur Veit Harlan wegen Verbrechens gegen die Menschlichkeit anzuklagen. Den gleichen Antrag stellen die Jüdische Gemeinde in Hamburg am 15. Januar 1948 und der Vorstand der SPD, Landesorganisation Hamburg, am 29. Januar 1948. Diese Anzeigen führen zu Ermittlungen. Deren Ergebnisse veranlassen den Oberstaatsanwalt beim Landgericht Hamburg, am 15. Juli 1948 Harlan anzuklagen,

zu Berlin und an anderen Orten in den Jahren 1939/1940 durch eine und dieselbe fortgesetzte strafbare Handlung, I. als Beihelfer bei der Begehung von Verbrechen gegen die Menschlichkeit durch Verfolgung aus rassischen Gründen mitgewirkt und mit der Planung solcher Verbrechen im Zusammenhang gestanden zu haben, II. wider besseres Wissen in Beziehung auf die jüdischen Mitbürger Fritz Sarne, Horst Winkowitz, Jacob Findling und Ewald Wolf unwahre Tatsachen behauptet und verbreitet zu haben, welche diese verächtlich zu machen und in der öffentlichen Meinung herabzuwürdigen geeignet sind, und zwar öffentlich durch Verbreitung von Darstellungen, indem er als verantwortlicher Regisseur den Film *Jud Süß* herstellte.

Der Prozess beginnt am 3. März 1949 und endet am 23. April mit einem Freispruch. Das vom Oberstaatsanwalt eingeleitete Revisionsverfahren findet ein Jahr später statt und endet am 29. April 1950, ebenfalls mit einem Freispruch. Damit wird auch Ferdl freigesprochen von einer Anklage, die es nie gab, aber gegen die er sich sechs Jahre verteidigte.

Gegen die Freisprüche Harlans werden zahlreiche Protestkundgebungen durchgeführt. Keine einzige gegen Ferdl, dem sogar Mitgefühl entgegen gebracht wird. Der Vorsitzende des Hamburger Schwurgerichtes:

Bei mir persönlich entsteht bei Marian das Bild des gezwungenen Schauspielers, obwohl er das in diesem Saal nicht aussagen konnte. Aus vielen Einzel-

heiten geht hervor, dass Marian, nachdem er gezwungen worden war, uner-
hört gelitten hatte. Er entschuldigte sich deswegen noch Jahre später.

Wegen der Freisprüche werden auch die Harlan-Filme immer wieder boykottiert. Nicht die Filme mit Ferdl, ganz im Gegenteil. Mit
Ausnahme des verbotenen *Jud Süß* laufen fast alle alten Filme in
den Kinos wieder an, und die Verleiher bringen sogar vier nach 1945
fertiggestellte Filme neu auf den Markt: *Die Nacht der Zwölf* (1949),
Dreimal Komödie (1949), *Freunde* (1950) und *Gesetz der Liebe*
(1950). Und nach dem Tod von Opas Kino bringt das Fernsehen
Filme mit Ferdl. Von einigen existieren sogar Videokopien. Und
Ferdl bekommt eine Lobeshymne nach der anderen von Film- und
Fernsehkritikern, die von seiner Schauspielkunst begeistert sind
und ihn deshalb nicht vergessen können. »Ferdinand Marian«,
schreibt ein Kritiker nach der Premiere von *Die Nacht der Zwölf*,

der eine Zeit lang die Marotte hatte, als Bonvivant, als Liebhaber und Cau-
seur, als Salonlöwe zu brillieren, hat hier diesen merkwürdigen Charme-Ehr-
geiz fallengelassen, der hinreißende Jago der Erich-Engel-Inszenierung von
Othello im Deutschen Theater zeigt hier endlich wieder – zum letzten Male –
seine dämonischen Züge. Ein dummer tragischer Unfall hat seiner Laufbahn
ein allzu frühes Ende gesetzt. Aus seinem letzten Werk aber – Marians zielbe-
wusster künstlerischer Wille und sein messerscharfer Intellekt haben diesem
Film den unverkennbaren Stempel seiner Persönlichkeit aufgedrückt – kann
und muss die deutsche Filmindustrie lernen! Sie muss lernen, einen Film auf
den überlegenen Schauspieler zu stellen, auf den Menschen-Darsteller, nicht
auf den Posensteller. Mit dieser Konzentration auf den überragenden Schauspieler, die übrigens auch der fruchtbare Ausgangspunkt vieler französischer
Filme ist, weist der letzte Marian-Film produktiv in die Zukunft, vorausge-
setzt, dass die Filmindustrie es versteht, Menschendarsteller vom Rang eines
Marian für sich fruchtbar zu machen. In letzter Hinsicht sind wir allerdings
skeptisch. Nicht dass wir nicht genügend Schauspieler-Begabungen hätten,
die Filmindustrie hat ja weniger die einzigartige Begabung Marians erkannt,
vielmehr hat Marian die Filmindustrie und -konfektion souverän hypnotisiert,
dass sie sich allen seinen spielerischen Intentionen bedingungslos unterwarf.
Wir rechnen es dem Regisseur Hans Schweikart als Verdienst an, dass er sich
von dem mimischen Spiel Ferdinand Marians faszinieren ließ, dass er ihm
freien Willen gelassen hat, dass seine Kamera und sein Mikro in erster Linie

nur Auge und Ohr für Marian waren. (…) Es war erregend, zu beobachten, wie das Publikum mit Marians Darstellungskunst mitging, wie es naiv reagierte, wie es sich wehrte und doch kapitulierte. Ein toter Schauspieler wurde leibhaft, wurde lebendig, sein Schatten wurde plastisch – und mehr: er wies dem neuen deutschen Film einen Weg.

Aber es gibt unter den Film- und Fernsehkritikern auch selbst ernannte Antisemitenjäger, deren Methoden sich von denen ihrer antisemitischen Nazikollegen, überall und immer Juden aufzuspüren, nicht wesentlich unterschieden, und für die Ferdls 22 Naturburschen und Aristokraten, Liebhaber und Mörder sämtlich nur Masken sind, hinter denen sich sein Süß versteckt. Als ein solcher »›Jud Süß‹ in neuer Maske« wird Ferdls harmloser Klaviervirtuose Guido (*Freunde*) 1950 kritisiert. »Aus jedem seiner Filme«, schreibt ein feinsinniger Ostberliner Antifaschist in der *Täglichen Rundschau*,

starrt uns die abgründig verzerrte Fratze seines Jud Süß an. Diese Maske haben wir ihm nicht vergessen. Und deshalb soll der, der sich von den Nazis nicht aus den Filmateliers verbannen lassen wollte, heute von der Leinwand unserer Kinos verbannt sein. Deshalb aber auch sollten demokratische Zeitungen darauf achten, dass sein Name und sein Bild aus ihren Spalten verbannt bleiben.

Fatale jüdische Züge entdeckt auch der liberale Filmkritiker der *Frankfurter Allgemeinen Zeitung* 1979 an Ferdls Heiratsschwindler und Mörder Leopold Lanski in dem Spielfilm *Die Nacht der Zwölf*:

Ferdinand Marian war seit seiner Darstellung des Süß Oppenheimer in Veit Harlans *Jud Süß* (1940) und des Cecil Rhodes in Hans Steinhoffs antibritischem *Ohm Krüger* (1941) ein Schurke des NS-Films par excellence. Seine Rolle eines eleganten, verführerischen Musikers in Käutners Maupassant-Verfilmung *Romanze in Moll* (1943) hat dieses Image wohl nicht grundlegend korrigieren können, hat ihm im Gegenteil noch die Komponente verführerischer Eleganz und leiser Dekadenz hinzugefügt. Dieses Bild eines eleganten Bösewichts nahm Marian in seine Rolle des Heiratsschwindlers Lanski in Schweikarts *Nacht der Zwölf* hinein. So entsteht das schillernde Bild eines Schwindlers, eines Lügners, gar eines Mörders, der dennoch deutliche Spuren von Liebenswürdigkeit und Sympathie behält. Marian und Schweikart setzen diese Sympathie nicht grundlegend aufs Spiel: Nicht zufällig wird der Mord nicht gezeigt, nicht zufällig bleiben die Ausbrüche von Bösartigkeit im Charakter Lanskis auf kurze Augenblicke beschränkt, nicht zufällig endet der Film nicht mit Lanskis Hinrichtung, sondern nur mit seiner Abführung durch einen Polizisten. Fast erweckt dieser Lanski Mitleid, ein Mörder immerhin, fast wünschte man ihm ein bisschen mehr Geschick, um seinen Henkern zu entkommen. Mit sehr viel gutem Willen mag man hierin eine leise Zurücknahme sehen: im bis dahin gnadenlosen filmischen Umgang mit Außenseitern, mit Mördern. Andererseits erweist sich die Figur Lanskis auf fatale Weise deckungsgleich mit dem Bild, das der ausgeprägte NS-Film von ›lebensuntauglichen Elementen‹ entwarf. Lanski ist ein Schwächling, ein Versager im Beruf, vom Mutterschoß nie losgekommen (›Mutter‹ nennt er seine Zimmerwirtin). Dass Marian der Figur deutliche jüdische Züge gibt, macht die Fatalität nur noch größer.

Und für eine antisemitische Projektionsfigur, ja sogar für einen zweiten Süß hält ein Antisemitenjäger der Zeitschrift *medium* 1991 auch Ferdls Cagliostro in dem Spielfilm *Münchhausen* (1943):

Die ganze äußere Kostümierung und der Habitus als eleganter Edelmann sind in einer Weise arrangiert, als wäre Marian aus dem Film Jud Süß von Veit Harlan unmittelbar in den Film Münchhausen gesprungen, um erneut die antisemitische Projektionsfigur abzugeben, die in egoistischer Weise hinter dem Geld, der politischen Macht und den Frauen her ist und dann sich noch aus dem Staube macht durch die Fähigkeit zur Unsichtbarkeit. (…) Was sonst, wenn nicht die bewusste Anspielung auf die entsprechend inszenierte und ausgeleuchtete Physiognomie Marians mit den dämonischen Augen in Harlans Jud Süß sollte hier die Wahrnehmung und die Vorurteile der Zuschauer hinlenken auf das Nazibild vom Juden, das sich für die vielen Millionen Zuschauer in den Kinos insbesondere über die Darstellung in diesem Film vermittelte. Marian/Cagliostro ist damit von der Besetzungsidee, vom Dialogtext und von der Inszenierung seiner Physiognomie her in den Kontext einer antisemitischen Projektionsfigur gestellt. Die Verkleidung Marians/Cagliostros als eleganter Edelmann lässt zudem an die Kostümierung in Jud Süß denken, wo Marian am Hofe Karl Alexanders in der Garderobe eines vornehmen Hofjuden die Rolle des assimilierten ›getarnten‹ Juden abgibt. (….) Das wichtigste Indiz im skizzierten Assoziationsfeld Marian/Jude/ Cagliostro in dieser Szene scheint mir aber jene kurze Einstellung zu sein, in der Marians

Gesicht bzw. die Augen-Nase-Mund-Partie in einer überdeutlich akzentuierten Groß- bzw. Detailaufnahme zu sehen ist; und zwar in dem Augenblick montiert, als Cagliostro ein letztes Mal anhebt, um Münchhausen Appetit zu machen auf die zu erobernden Länder: »Litauen! Kurland! Polen!« Die schräge Kopfhaltung und die Lichtsetzung auf die jetzt funkelnden, nach oben stierenden Augen – beim Wort »Polen!« – unterstreichen in ihrem Gesamtarrangement die Physiognomie Marians als Inbegriff des rassisch definierten Juden schlechthin. Die zentrale Bedeutung dieser kurzen Einstellung wird auch noch dadurch unterstrichen, dass an keiner anderen Stelle des Films durch Details der Physiognomie solche visuellen Akzente gesetzt werden. Die zweite Szene schließlich komplettiert die hier in Wort und Bild entfalteten Komponenten antisemitischer Stereotype (›jüdisches Aussehen‹, Geld- und Gewinnsucht, Schlauheit, Heimatlosigkeit, Machtusurpation) um die Komponente der zuhälterischen Macht über den Frauen-körper. (…) Cagliostro dagegen erscheint in der Hotelzimmerszene als der allmächtige Herrscher selbst über den nackten Körper einer Frau. Seiner lüsternen Allmacht steht die rechtschaffene, moralisch einwandfreie Ohnmacht Münchhausens gegenüber, womit die antisemitische Doppelgängerfigur des Freimaurers Cagliostro vollständig umrissen ist.

Aber nicht nur an den Liebhabern und Mördern, die Ferdl nach seinem Süß spielte, entdecken angelernte Rassekundler jüdische Züge, sondern bereits bei Rollen, die Ferdl lange vor seinem Juden spielte. Sie behaupten damit aber nicht, dass Ferdl ein bestimmtes Repertoire an Mimik, Gesten und Körperbewegungen für bestimmte Charaktere verwendete, sondern sie machen daraus die Andeutung, Ferdl könnte Jude gewesen sein. In dem Gesicht seines Rodolphe Boulanger (*Madame Bovary*, 1937), den Ferdl drei Jahre vor seinem Finanzienrat drehte, erkennt der ›Tiefenpsychologe‹ einer Illustrierten bereits die künftigen Schuldgefühle und die Niedergedrücktheit, in die Ferdl durch seinen Süß verfällt. Die Illustrierte bringt ein Foto von ihm mit Pola Negri. Darauf blickt der Altstar zu dem jungen Kollegen auf und strahlt ihn an. Aber Ferdl reagiert mit einem Gesicht, das für die Illustrierte »von einem schweren Schuldgefühl niedergedrückt« wird, von einem vorweggenommenen Schuldgefühl:

Ferdinand Marian soll es nie verwunden haben, dass er die Rolle des ›Jud

194

Süß‹ hatte spielen müssen. Er verunglückte tödlich. Hier mit Pola Negri in *Madame Bovary*.

Und mit einem Foto von Ferdl und Zarah Leander in *La Habanera* (1937) wird bewiesen:

Wie nahe der Schauspieler Marian allein auf Grund seines Äußeren bestimmten Vorstellungen vom jüdischen Typ kommen konnte, zeigt dieses Bild aus ›La Habanera‹, wo Marian an der Seite von Zarah Leander einen düsteren unsympathischen Liebhaber spielte. Harlan hätte aus Marian also schon äußerlich ganz leicht ein abstoßendes Hetzbild des Juden machen können, stattdessen charakterisierte er ihn als einen Mann von Welt, als einen Menschen, der wie jeder sein Schicksal in der eigenen Brust trägt.

Auch Ferdls Geigenvirtuose Friedrich Burger alias Juan Perez (*Morgen werde ich verhaftet*), der vor *Süß* entstand, besitzt für die Rassekundler der Illustrierten *Star Revue* bereits 1939 das Gesicht, mit dem Antisemiten 1940 für *Jud Süß* warben. Tatsächlich besteht eine Ähnlichkeit zwischen dem Burger-Foto und dem antisemitischen Jud-Süß-Foto und sogar mit dem Judenteufel auf dem Süß-Plakat. Diese Beweisstücke aber zeigen die Physiognomiker nicht, sondern begnügen sich mit Geraune: »Dem Mann, der ›frei‹ sein wollte, dem faszinierenden Darsteller, wurde eine teuflische Rolle zugespielt«. Das Großfoto von Ferdls Geigenvirtuosen steht im Blickfeld einer mit schwarzen Trauerrändern aufgemachten Kolportage, welche mit dem blutrot gefärbten Titel lockt: »Sie zahlten den höchsten Preis« und mit einem Aufmacher, der klar macht, dass ein Schauspieler es sich nicht leisten kann, einen Juden zu spielen, nicht nur nicht unter den Nazis, sondern auch 1957 nicht, und dass er daher lieber aus dem Leben scheidet. Ferdl soll ja gesagt haben: »Mit meinem Gesicht kann ich nicht weiterleben!«

»Wohl jeder von Ferdinand Marians Freunden«, berichtet der Rassekundler der Illustrierten,

hat diesen verzweifelten Ausspruch einmal oder öfter von ihm gehört. ›Dieses Gesicht‹ – das war auch nicht das aus irgendeiner seiner vielen umjubelten Film- und Bühnenrollen, es war nur noch das unvergessliche Gesicht des ›Jud Süß‹. Keine Schminke, keine Maske, kein Persilschein konnten etwas dran ändern. Ferdinand Marian zahlte den höchsten Preis, den ein Schauspieler zahlen konnte. Im Mittelalter hätte man dazu gesagt: Er verkaufte seine Seele dem Teufel. Heute drückt man es etwas nüchterner aus: Um weiterspielen zu können, um den leidenschaftlich geliebten Beruf nicht aufgeben zu müssen, ließ er sich zu einer Rolle zwingen, die er freiwillig niemals gespielt hätte. Und diese Rolle wurde sein Schicksal.

Ferdl starb am 9. August 1946 auf der Reichsstraße 11, bei Kilometerstein 29. Der Wagen, den er in den Graben gefahren hatte, passte gut zu den Verwüstungen, welche ein Unwetter wenige Tage zuvor angerichtet hatte und welche links und rechts der Landstraße zu erkennen waren. Ferdls Leichnam wurde aus dem Auto gezogen und nach Freising gebracht, aber dort nicht beerdigt, sondern an einem der folgenden Tage nach München transportiert und am 13. August auf dem Ostfriedhof verbrannt. Die Feuerbestattung fand unter Ausschluss der Öffentlichkeit statt. Es gab keinen Hinweis im Radio, keinen in den Tageszeitungen, geschweige denn einen Nachruf für den beliebten und begabten Komödianten, weil er ja immer noch ein Geächteter und Aussätziger war. Und es war deshalb selbstverständlich auch keiner der Großkopferten von Stadt und Land präsent, selbstverständlich auch kein amerikanischer Militärbonze, nicht einmal der hilfreiche Captain van Loon und auch nicht Kollege Erich Pommer, ja nicht einmal ein katholischer Geistlicher, denn es bestand der Verdacht, dass hier ein Selbstmörder in Flammen aufging. Sich auf dieser Trauerfeier für einen Geächteten und Aussätzigen zu zeigen, war eine gesellschaftliche und politische Mutprobe, die aber viele Freunde und Kollegen bestanden. Sicher die Trofaiacher, hätten sie davon erfahren, bestimmt auch Ferdls tschechische Geliebte. Vlasta hatte ja schon so viel in ihrem kurzen Leben riskiert. Warum nicht auch eine Trauerfeier, zumal sie ja auch bald sterben wird, an einer Bauchschwangerschaft, verursacht durch einen amerikanischen Soldaten, den sie beim Tanzen kennen lernen und der sie sogar heiraten wird. Anwesend bei dieser Feuerbestattung war gewiss auch der junge Mann, der den Mut aufbrachte, sich als unehelicher Sohn des geächteten Ferdl zu bekennen. Nachweislich anwesend war auch Ferdls Frau, die auch bald sterben wird, unter ganz merkwürdigen Umständen. Nachweislich dabei war Freund Engel. Und auch Freund Axel von Ambesser, der an der Urne eine Rede hielt, mit der er Ferdl im

Totenreich ansprach, aber auch den lebenden Künstlern Mut machte, sich den Konjunkturrittern, Arschkriechern und neuen Schickelgrubers zu widersetzen.

»Lieber Ferdinand!«, begann Axel von Ambesser seine Ansprache – ob mit oder ohne Orgelbegleitung wusste Ambesser Jahre später nicht mehr:

Lieber Ferdinand! Am vorigen Freitag, am Tage, an dem sich dein Schicksal vollendete, saß ich in der Schauspielerloge der Kammerspiele und schaute mir *Straßenmusik* an. Und wie durch ein Transparent sah ich hinter der Aufführung jene alte herrliche Vorstellung von *Straßenmusik*, in der ihr beide, du und Maria Byk, jenen Kampf zweier Menschen, die sich lieben und mit- und umeinander ringen, auf der Bühne spielet, den Kampf, den ihr dann im Leben geführt habt, den ihr gelitten habt und den ihr genossen habt. Ich habe noch nie mit so zwingender Klarheit erlebt, dass es schauspielerische Leistungen gibt – die ›noch‹ da liegen – und die für den, der sie gesehen hat, unvergesslich sind. »Da hätten Sie den Marian sehen sollen!« Das werden wir einstens sagen, wenn wir wirklich einmal in jenem Heim für alte Schauspieler, von dem wir so oft leichtsinnig lachend in den langen Nächten im Simpl und an den heiteren sonnigen Vormittagen auf dem Bühnenbankl gescherzt haben, sitzen werden. »Mein Lieber«, sagtest du, »ich werd erst froh sein, wenn ich alt bin und das ganze Zeug hinter mir hab!« Alt bist du nicht geworden; aber ich hoffe, dass du jetzt froh bist und lächelst, wenn du auf deinem Stühlchen sitzt und zu uns hinüberschaust, wie wir hier deine Beerdigung spielen, obgleich wir wissen, dass du eigentlich unter uns weilst, so wie wir es in *Our Town* geübt und dir vorgespielt haben. »Schauspieler-Beerdigungen«, sagtest du, »haben immer etwas Komisches«. Wie ist es, wenn man die Hauptrolle spielt? Uns wäre lieber, wenn du dir die Rolle länger aufgespart hättest. Du hast es mit dir nicht leicht gehabt, und die Menschen, die dich liebten, haben es mit dir nicht leicht gehabt. Oft in deinem Leben hast du jenen ungerechten, wilden Satz einem Menschen, der dich liebte, und den du auch liebtest, getrieben von deiner dunklen Natur, ins Gesicht geworfen – jenen Satz, den du so unvergesslich aus deinem erfahrenen Herzen, getrieben von deinem gespielten und erlittenen zerrissenen Temperament, in dem Stück *Straßenmusik* auf die Frage: »Wo willst du denn hin?« deiner geliebten Partnerin ins Gesicht schriest. »Wo willst du denn hin?« – »Ins Freie! – Madame!« Dies Freie, von dem du wusstest, dass es kein Lebender finden kann, das hast du doch immer wieder gesucht. Sei es, dass du dich von Freunden, von Theatern, die dich halten wollten, lossagtest, dass du Frauen vergaßest; sei es, dass du die engen Grenzen durch Wein und Lieder zu sprengen suchtest, oder sei es, dass du den Rausch, den das Beherrschen einer Maschine mit sich bringt, auskostetest; jenen Rausch, in dem du dann ja endlich das Freie fandest (…).

Wenn wir jetzt hier stehen, vor den sterblichen Resten eines der größten Schauspieler der jungen Generation, dann bedauern wir tief, dass wir um die große Reifezeit, die wir von dir erwarten konnten, betrogen worden sind. Du warst einer von den fünf, sechs Schauspielern, die auserwählt, die unersetzlich sind. Wir fühlen uns betrogen um deinen Liliom, um deinen Marquis von Keith, deinen Mackie Messer, um deinen Richard III. und um deinen Hamlet. Du sprachst, als ich dich das letzte Mal bei Erich Engel traf, davon, dass du ihn jetzt zu spielen dich getrautest. Wir werden also nie in deutscher Sprache den Korsaren von Marcel Achard vollendet sehen, die Rolle, die dir der Krieg entriss, und die in Deutschland eben nur du vollendet hättest spielen können. Ja, die letzten Jahre haben dich, und somit uns, um deine wesentlichen Rollen betrogen. Der alte Schauspielerwitz: »Wenn ein Kollege stirbt, gibt es Vakanzen zu besetzen«, trifft bei einer Persönlichkeit deiner Art nicht zu – deine Vakanz bleibt offen!

Wie immer, wenn ein blühend lebendiger Mensch stirbt, fragen wir uns und die Menschen, die ihm nahe standen: Warum? Warum gerade jetzt? Jetzt, da die beruflichen Schwierigkeiten durch Erich Pommer endgültig beseitigt werden sollten? Vielleicht stellt hier auch eine Frau die Frage: Warum gerade jetzt? Jetzt hätte unser Glück ja erst anfangen sollen, jetzt hätte es dauerhaft sein können (…). Wedekind hat einmal gesagt: »Glück ist, seinen Anlagen gemäß verbraucht zu werden.« Wenn diese Formel der Wahrheit entspricht, und ich möchte es glauben, so hat Ferdinand Marian Glück gehabt. Er ließ sich von Film und Theater seinen herrlichen Anlagen gemäß verbrauchen, und er hat die Menschen, die mit ihm lebten, ebenso wild und lebenshungrig, wie er sich dem Leben hingab, verbraucht. Wenn Glück freilich Ruhe, Sorglosigkeit, Versorgung ist, dann war er, dann waren mit ihm die Menschen, die ihn liebten, unglücklich. Wenn aber Glück »Leben« im Wedekindschen Sinne ist, dann war Ferdinand Marian glücklich und hat er glücklich gemacht!

Und wenn dieses Leben, das wirklich einer rasenden Autofahrt glich, mit nur kleinen Rast- und Ausruhstationen, aber eigentlich Tag und Nacht auf der Landstraße des Lebens, vorwärts, einem unbekannten Ziele – dem Freien, Madame! – entgegen, wenn dieses Leben auf einer Autofahrt, auf einer gefährlichen Autofahrt mit einem Wagen, dessen Defekt ihm bekannt war, den er aber meistern wollte, endete, so scheint mir dies ein symbolhafter Abschluss, wie ihn das Schicksal ungewöhnlichen Menschen schenkt. Es war wohl auch eines der Spiele des Schicksals, das Maria Byk noch an demselben Abend, wohl zu der Stunde, da er in seiner für ihn typischen, sprunghaften, radikalen Weise von uns für immer Abschied nahm, nach ihm suchen gehen hieß, das mich am selben Abend, ohne vorgefassten Plan, rein aus Zufall, in die Vorstellung von *Straßenmusik* gehen ließ, in der Ferdl noch einmal für seinen alten ›Spezl‹ aufgetreten ist, und das ihn am letzten Tage seines 44. Lebensjahres dem Feuer überantwortete (…). Was wusste der Drucker meines Kalenders von der Beziehung des Goethewortes zu Ferdinand Marian, das er auf die Seite meines Kalenders druckte, auf der nun sein Geburts- und Grablegungstag verzeichnet sind:

»Alles geben die Götter, die unendlichen, ihren Lieblingen ganz. Alle Freuden, die unendlichen, alle Schmerzen, die unendlichen ganz.«

Nicht nur den Erfolg und die Begabung gaben die Götter ihrem Liebling, auch den Schmerz, der allen deinen Gestalten jenen dunklen Celloton gab, der geeignet war, in die Theatergeschichte einzugehen wie Kainzens vielgerühmte »Glocke«. Sie gaben dir alles, wie sie es Künstlern geben, um die Welt, das Publikum zu erschüttern und zu erheitern und um deine Kollegen, dein bestes Publikum, auf ihren Beruf stolz zu machen. Wir denken an deine erste Münchener Rolle, jenen unvergesslich albernen »Mann mit den grauen Schläfen« oder den Offizier in dem Rühmannschwank mit dem chinesischen Klaps. Wir lachten, und du lachtest wie ein strahlender großer Junge, der du – neben vielen anderen Gesichtern, die du als echter Schauspieler hattest – ja auch warst. Wir denken an den Roller, den erschütternden armen Flieger, den Stanhope, den Amphitryon, den Xaver Schützinger – eine Szene nur, aber was für eine! Später spieltest du noch den Paulus Almann, den deine Freunde dir geschrieben hatten. In Hamburg erschraken die Leute vor dir in *Rauhnacht*, und in Berlin rissest du uns mit deinen beiden, wohl größten Rollen hin, mit dem Jago und mit dem Don Juan, beide sind dem Element des Feuers zugeordnet, und hinter Shaws Don Juan klingt leise, wie es der Dichter will, das Mozartmotiv auf. So wirst du in unserer Erinnerung weiterleben, denn du warst auch heiter, strahlend, harmonisch und anmutig – aber mozartisch immer, das heißt, vor einem dunklen, tiefen Hintergrund, ein legitimer Nachfolger der großen österreichischen Schauspieler Mitterwurzer und Girardi, von denen du bestimmte Elemente in dir vereinigtest.

Man sagt oft am Grab: »Wir werden ihn nie vergessen« – und man vergisst oft!

Dich können wir nicht vergessen, weil du zu stark warst, um vergessen werden zu können. Du warst, um in unserer Sprache zu sprechen, eben zu sehr »da«! Und wenn du nach dem dritten Glas Kognak deine liebste rhetorische Frage stelltest: »Was bin ich schon? Ein Komödiant! Es ekelt mich an, wenn ich schon dies G'fries seh! Was ist das schon? Ein Komödiant wie tausend andere, bloß ein bissl geschickter!« – so wie du es warst, war es viel, war es alles, was ein Mensch erreichen kann, der bereit ist, sich seinen Anlagen gemäß verbrauchen zu lassen, war es das, was man dann – groß nennt.

Wenn du nun, deinem Wunsch gemäß, dem Element, dem du immer angehörtest, ganz wieder überantwortet wirst, so wollen wir, wann immer wir dem Feuer gegenüberstehen, dein Andenken aufleuchten lassen, sei es, wenn abends die Lampen aufflammen und der Inspizient das letzte Zeichen gibt, sei es, dass wir sprachlos vor der Gewalt eines Brandes stehen, wie wir sprachlos vor den flackernden Ausbrüchen deines Temperamentes standen, sei es, dass wir abends vor dem Kamin beisammensitzen und niemand mehr in die Harmonika greift und singt: »Erst, wenn's aus wird sein!« und »I bin der Turlhofer« (…).

Ja! Ich weiß, woher ich stamme!
Ungesättigt gleich der Flamme
Glühe und verzehr' ich mich.
Licht wird alles, was ich fasse,
Kohle alles, was ich lasse:
Flamme bin ich sicherlich!

Anhang

Die Fußnoten im Internet

Wissenschaftler und Journalisten haben zwei Eigenschaften gemeinsam, die sie fast zu Zwillingen machen: Neugierde und Tratschsucht. Trotzdem sind die beiden leicht von einander zu unterscheiden. Journalisten verzichten auf Fußnoten. Wissenschaftler nie. Denn in den Fußnoten bringen Wissenschaftler die Primärquellen zur Sprache, welche die Neuigkeit ihrer story beweisen sollen. Und dass Inhalt und Form dieser neuen story auch von den bewunderten und gefürchteten Mitbewerbern im Fach anerkannt werden müssen, wollen Wissenschaftler mit den so genannten Sekundärquellen in den Fußnoten beweisen. Die Folge dieser wissenschaftlichen Praxis sind klein gedruckte Nachweise, welche die Fußzeilen einer Textseite verunzieren und unleserlich machen und das Ende eines Buches zum Friedhof von überschwänglichen und kränkenden Anmerkungen. Dass dieses klein gedruckte Zeug selbst dem Begründer der modernen Geschichtswissenschaft und Erfinder der deutschen Fußnote, Leopold von Ranke (1795-1886), bald zu viel und zu einem Ärgernis wurde, erzählt der Amerikaner Anthony Grafton mit sehr viel Spott in seinem amüsanten Buch *Die tragischen Ursprünge der deutschen Fußnote* (1995), ohne freilich auf die Medienbedingtheit von Rankes Veröffentlichungspraktiken im 19. Jahrhundert einzugehen. Diese Bedingungen haben sich durch die Entwicklung von digitalen Live- und Speichermedien und durch weltweite Netze im Laufe des 20. Jahrhunderts grundlegend geändert. Die deutsche Fußnote aus dem 19. Jahrhundert den Neuen Medien im 21. Jahrhundert anzupassen, wird hier versucht. Es ist vermutlich das erste wissenschaftliche Buch, dessen umfangreiches Quellenmaterial nicht in den Fußzeilen steckt und auch nicht als ein Pack von Seiten am Ende des Buches eingebunden wird, sondern im Internet erscheint, und zwar auf der neu eingerichteten Domain Kinomarkt.de.

Sie ist ein Forum für Filmwissenschaftler und Praktiker der Kinobranche in ihren weitesten Verzweigungen, ein globaler Treffpunkt für Filmnarren und Fachleute. Hier können Sammler, Antiquare, Verleger, Buchhändler und Bibliothekare weltweit alles kaufen und verkaufen, was mit Kino zu tun hat. Hier erfahren Produzenten, Verleiher, Kinobesitzer und Filmkritiker alles über alte und neue Filme. Hier entsteht eine Datenbank zu Film und Fernsehen in Forschung und Lehre von und für Filmwissenschaftler. Suchmaschinen garantieren, dass jeder alles zu jedem Filmtitel und zu jeder Person sofort findet, was auf diesem virtuellen Marktplatz angeboten wird.

Kinomarkt.de wird von Marion Hastedt, Barbara von der Lühe und mir herausgegeben und entstand in Kooperation des Faches Medienwissenschaft und Medienberatung der Technischen Universität Berlin mit dem Forschungsinstitut Rechnerarchitektur und Softwaretechnik (GMD), Berlin Adlershof .

Auf dieser Plattform sowie auf der Homepage des Studienganges Medienberatung der Technischen Universität Berlin (http://www. medienberatung.tu-berlin.de) sind die Fußnoten zu diesem Buch zu finden, mit allen Zitat- und Abbildungsnachweisen. Darüber hinaus finden sich dort zusätzliche Kommentare und Abbildungen sowie persönliche Dokumente und Künstlerpostkarten von Ferdinand Marian, eine erweiterte Bibliographie, ein umfangreiches, jeweils nach Jahren, Orten, Personen, und Rollen geordnetes Register, ein Verzeichnis aller Theaterstücke, Hörspiele und Spielfilme, in denen Marian mitwirkte, weitere Internet-Links und eine ausführliche Danksagung an Personen und Institutionen. Diese Sammlung wird monatlich ergänzt und kann von jedem Internetbenutzer kostenlos eingesehen und geprüft werden. Die umfangreichen Primär- und Sekundärquellen erzählen die zweite Geschichte des Marianbuches, die Forschungsgeschichte, und figurieren gleichzeitig als Beweisstücke eines virtuellen Jud-Süß-Tribunals, das allein ihre Gegenwart inszeniert.

Filmrollen vor und nach Jud Süß (1940)

Die Jahreszahl bezieht sich auf das Jahr der Erstaufführung

Vorher

1934: Arbeiter (*Der Tunnel*)
1934: Beduine (*Peer Gynt*)
1936: Fürst Narischkin, Emigrant (*Ein Hochzeitstraum*)
1937: Rodolphe Boulanger, Adeliger (*Madame Bovary*)
1937: Prinz Konstantin (*Die Stimme des Herzens*)
1937: Don Pedro D'Avilla (auch: de Avila), Großgrundbesitzer (*La Habanera*)
1938: Halvard, Pelzjäger (*Nordlicht*)
1939: Friedrich Burger / später Juan Perez, Meistergeiger (*Morgen werde ich verhaftet*)
1939: Kolman, Bankdirektor (*Der Vierte kommt nicht*)
1940: Professor Helmerding, Chemiker (*Aus erster Ehe*)
1940: Philipp Grandison, englischer Friedensrichter in Irland (*Der Fuchs von Glenarvon*)

Nachher

1941: Cecil Rhodes, Minenbesitzer (*Ohm Krüger*)
1942: Michael Garden, Architekt (*Ein Zug fährt ab*)
1943: Carlo Ernst, ehemals berühmter Herrenreiter (*Reise in die Vergangenheit*)
1943: Tonelli, Hochseilartist / später Jaro, Clown (*Tonelli*)
1943: Michael, Komponist (*Romanze in Moll*)
1943: Graf Cagliostro, Zauberer (*Münchhausen*)
1944: Alfred Peters, Bauingenieur (*In flagranti*)
1945 (Wien): Guido Horvath, Klaviervirtuose (*Freunde*), BRD 1949
1949: Professor Viktor von Arnim, Bildhauer (*Dreimal Komödie*)
1950: Leopold Lanski, Heiratsschwindler (*Die Nacht der Zwölf*)
1950: Baron Pistolecron, Spion (*Das Gesetz der Liebe*)

Ausgewählte Literatur zum Spielfilm Jud Süß

Albrecht, Gerd: Nationalsozialistische Filmpolitik. Eine soziologische Untersuchung über deutsche Spielfilme des Dritten Reiches, Stuttgart 1969.

Boberach, Heinz (Hrsg.): Meldungen aus dem Reich. Die geheimen Lageberichte des Sicherheitsdienstes der SS aus dem Reichssicherheitshauptamt 1938–1944, Bd. 1, Herrsching 1984.

Boelcke, W. A. (Hrsg.): Kriegspropaganda 1939–1941. Geheime Ministerkonferenzen im Reichspropagandaministerium, Stuttgart 1966.

Courtade, Francis und Pierre Cadars: Geschichte des Films im Dritten Reich, München, Wien 1975.

George, J. R.: Jud Süß. Roman mit 16 Bildern aus dem gleichnamigen Terra-Film, Berlin 1941.

Gitlis, Baruch: Film and propaganda. The Nazi Anti-Semitic Film, Tel Aviv 1984.

Gold, Helmut und Georg Heuberger: Abgestempelt. Judenfeindliche Postkarten, Frankfurt am Main 1999.

Haasis, Hellmut G.: Joseph Süß Oppenheimer, genannt Jud Süß. Finanzier, Freidenker, Justizopfer, Reinbek 1998.

Harlan, Veit: Im Schatten meiner Filme, Gütersloh 1966.

Hermann, Ingo (Hrsg.): Wolfgang Koeppen: Ohne Absicht. Gespräch mit Marcel Reich-Ranicki in der Reihe »Zeugen des Jahrhunderts«, Göttingen 1994.

Hippler, Fritz: Die Verstrickung, Düsseldorf 1981.

Hollstein, Dorothea: »Jud Süß« und die Deutschen. Antisemitische Vorurteile im nationalsozialistischen Spielfilm, Frankfurt/M., Berlin, Wien 1983.

Hollstein, Dorothea: Antisemitische Filmpropaganda. Die Darstellung des Juden im nationalsozialistischen Spielfilm, München-Pullach, Berlin 1971.

Huder, Walter und Friedrich Knilli (Hrsg.): Lion Feuchtwanger: »... für die Vernunft, gegen Dummheit und Gewalt.«, Berlin 1985.

Kanzog, Klaus: »Staatspolitisch besonders wertvoll«. Ein Handbuch zu 30 deutschen Spielfilmen der Jahre 1934 bis 1945, München 1994 (= diskurs film. Münchner Beiträge zur Filmphilologie 6).

Knilli, Friedrich und Thomas Maurer, Thomas Til Radevagen, Siegfried Zielinski: »Jud Süss«. Filmprotokoll, Programmheft und Einzelanalysen, Berlin 1983 (= Preprints zur Medienwissenschaft 2).

Knilli, Friedrich und Reiner Matzker (Hrsg.): Der elektronische Literaturbericht. Das Datenbankprogramm »Jud Süß / Juden und Medien«, Bern, Berlin, Frankfurt am Main 1991.

Kugelmann, Cilli und Fritz Backhaus (Hrsg.): Jüdische Figuren in Film und Karikatur. Die Rothschilds und Joseph Süß Oppenheimer, Sigmaringen 1995 (= Schriftenreihe des Jüdischen Museums Frankfurt am Main, Bd. 2).

Maiwald, Stefan und Gerd Mischler: Sexualität unter dem Hakenkreuz. Manipulation und Vernichtung der Intimsphäre im NS-Staat, Hamburg, Wien 1999.

Mannes, Stefan: Antisemitismus im nationalsozialistischen Film – Jud Süß und Der Ewige Jude, Köln 1999.

Mertens, Eberhard: Filmprogramme. Bd. 2: 1940–1945. Mit einem Vorwort v. Arthur Maria Rabenalt, Hildesheim, New York 1977.

Moeller, Felix: Der Filmminister. Goebbels und der Film im Dritten Reich, Berlin 1998.

Mosse, George L.: Nationalismus und Sexualität. Bürgerliche Moral und sexuelle Normen, München 1985.

Pardo, Herbert und Siegfried Schiffner: Jud Suess. Historisches und juristisches Material zum Fall Veit Harlan, Hamburg 1949.

Rentschler, Eric: The Ministry of Illusion. Nazi Cinema and Its Afterlife, Cambridge, London 1996.

Stern, Selma: Jud Suess. Ein Beitrag zur deutschen und zur jüdischen Geschichte, Berlin 1929.

Theuerkauf, Holger: Goebbels' Filmerbe. Das Geschäft mit unveröffentlichten Ufa-Filmen, Berlin 1998.

Traudisch, Dora: Mutterschaft mit Zuckerguß? Frauenfeindliche Propaganda im NS-Spielfilm, Pfaffenweiler 1993.

Wulf, Joseph: Theater und Film im Dritten Reich. Eine Dokumentation, Gütersloh 1964.

Zielinski, Siegfried: Veit Harlan. Analysen und Materialien zur Auseinandersetzung mit einem Film-Regisseur des deutschen Faschismus, Frankfurt/M. 1981.

Personenregister